小野昌弘
宮台真司
斎藤 環
松尾 匡
中島岳志
宇野重規
鈴木晃仁
神里達博
小泉義之
柴田 悠
中島隆博
大澤真幸

コロナ後の世界

いま、この地点から考える

筑摩書房編集部 編

筑摩書房

目次

Ⅲ 「その先」を深く考える

Ⅳ コロナ後の世界

はじめに

とどまるところを知らない新型コロナウイルスの感染拡大。早く終わってほしい――。誰もがそう願っています。

ですが、簡単には収束しそうにないことを、すでに私たちは知っています。何人もの専門家がそのように指摘し、報じられてきました。

感染しても症状の出ない人の割合が高く、無症状の人も感染を広げることが、新型コロナウイルスの特徴の一つです。その性質もあって、あっという間に世界中に拡大していきました。日本を含めて各国はその対応に追われ、多くの国で都市封鎖（ロックダウン）が実施され、物流は急激に滞りました。このため経済活動はひどくダメージを受け、いまも受け続けています。

国境をまたいだ人びとの行き来は大幅に制限され、ここ日本だけでなく多くの国で、一人ひとりの社会的活動が抑制されました。いまや、多くの国が「巣ごもり」をしているかのようです。

この世界はもう、後戻りできない――。

識者によるそうした指摘も、目にしました。

現在進行形のこの危機をどう考えたらいいのか？　その手がかりが欲しいと、私たちは心底から思いました。問題は多岐にわたります。そもそも私たちは、新型コロナウイルスとはいかなる存在であるのか、ウイルスの世界史において、今回のパンデミックがどう位置づけられるのかを、それほど知ってはいません。

＊

爆発的な感染拡大は医療崩壊を招き、多くの命が失われる事態を招きます。

ところが、各国の対応の仕方には違いがありました。

たとえば、都市封鎖を含む強硬な手段を用いて、武漢からの感染拡大を防いだと評価される中国。封じ込めを成功させる上で、感染者の行動履歴をアプリで徹底的に追跡したことも大きかったと言われています。そこでは、一人ひとりの行動の自由、プライバシーよりも新型コロナの収束が優先され、テクノロジーの力が用いられたのです。

決定的な治療法が確立しておらず、ワクチンもまだ開発途上にある今、中国のようなアプローチで新型コロナをうまく封じ込められるなら、その方がいいと思うかどうか。会いたい人と会えるときに会うこと、気の許せる仲間と共に過ごすこと、施策の根拠を政府がきちんと説明し、議論できること。少しでも早く新型コロナを収束させられるなら、これらの価値よりも、封じ込めの方が大事だということになるのかどうか――。

私たちは今、親子や恋人、友人といった人間関係から、コミュニティ、国家、国際社会、そして人類、地球といったレベルに至るまで、どのような価値を守るべきかが問われているのかもしれません。世界史に残るであろう危機の到来によって、現代社会のさまざまな問題が、以前にもまして、あらわになってきています。

こうしたことを、できることなら、きちんと考えたい。そして、読者と共有したい——。そんな思いがあって、この論集は生まれました。食と暮らしはどうあるべきか、まともな政府とは何か、なぜ日本で「自粛警察」が広がったのか、グローバル化した資本主義の未来とは？　そうしたことも、論じられています。

この本に参加してくれたのは、免疫学の専門家、精神医学の専門家、社会学者、経済学者、政治学者、哲学者、医学史の研究者、科学史の研究者など、第一線で活躍する12人の方たち。それぞれの専門性にもとづく、力のこもった論考を寄せてくれました。読みやすさを考えて、大きく4つのパートに分けましたが、興味をひかれたところから読んでいただけたらと思います。

いまなお「終わり」の見えない危機の只中にあって、この本がみなさまの力になれれば幸いです。

編集部

（2020・7・20）

＊各論考の末尾にある年月日は、脱稿した日付を指す。

I

ニッポン社会のクライシス

免疫からみえるコロナの行く末

小野昌弘
（免疫学）

1 新型コロナウイルス感染症とは何か

新型コロナウイルス（SARS-CoV-2ウイルス）は、２０１９年に武漢で流行が始まり、中国各地から短期間で世界中に広がった。２０２０年6月現在、世界で約1千万人が感染し、約50万人が死亡している。

新型コロナウイルスに比較的近縁のウイルスには、重症急性呼吸器症候群（ＳＡＲＳ）関連コロナウイルスと中東呼吸器症候群（ＭＥＲＳ）コロナウイルスがあり、いずれも元々は野生動物のウイルスが人間に感染したものと考えられる。遠縁のコロナウイルスには、普通の風邪を引き起こす原因となるウイルスも複数ある。新型コロナウイルスは、コウモリを宿主とするウイルスとの類似性が高いため、こうしたウイルスが何らかの形で人間に感染したものと推測されているが、それ以上の詳細はわからない。

新型コロナウイルスのように、人間と動物の両方に感染できる病原体によって生じる感染症は人獣共通感染症と呼ばれ、これ自体は珍しくはない。

人の手が加えられていない自然に近接する開発地域は、新たな人獣共通感染症の震源地でもある。野生動物のウイルスが初めて人間に感染し、そのウイルスが人から人へと伝播する性質を獲得していた場合、人間には免疫がないために地域内で感染が容易に広がり得る（感染の突発的発生＝アウトブレイク）。それに加え、昨今のグローバル化で地域・国境を超えた人および物の移動が激しくなっているため、アウトブレイクが適切に封じ込められなければ容易に世界的大流行（パンデミック）に至り得ると警戒されてきた。その懸念が現実化したのが、今回の新型コロナウイルスによるパンデミックである。

新型コロナウイルスに感染すると、多くの人は感染後数日して、熱や咳、嘔吐や下痢などの症状が現れ、一部の人は味覚障害をきたす。これは新型コロナウイルスが、口腔内・鼻腔・気管・肺・消化管の内腔を覆う上皮細胞に感染するために起こる症状である。発症後およそ1週間で多くの人は快方に向かうが、一部の患者は肺炎が重症化して高度な治療が必要になり、入院治療を受けることになる。集中治療室での治療が必要になると、肺炎のみならず、全身の臓器に障害があらわれることがあり、こうした重症患者の一部が死亡する。

一般に新型コロナウイルスによる感染症には、命にかかわる重い症状というイメージがつきまとうが、実のところ、近縁ウイルスによるＳＡＲＳやＭＥＲＳに比べると、無症状・軽症の人が多いとみられる。しかし逆にこの特徴が、新型コロナウイルスの封じ込めを困難にしたと考えられる。実際、新型コロナウイルス感染症では、感染直後でまだ症状が出る前の段階でもウイルスを排出し、他者に感染させる可能性がある。軽症であれば、外出や旅行もしてしまうだろう。そして咳による飛沫や唾液に含まれるウイルスから感染するので、密閉・密集・密接が重なる、いわゆる三密の状況を回避することと、手洗いの重要性が説かれることとなる。

無症状者・軽症者の割合は、感染調査と統計的な推測に基づくため、研究の進展によりその数値も変わるはずだが、おそらく感染しても8割以上の人は重症化することなく治癒する。一方で、高齢者や循環器疾患・糖尿病・極度の肥満を持つ患者、ステロイド服用中の患者は重症化する可能性が高い。若年者の多くは軽症で済むものの、これらの基礎疾患・リスク因子を持つ人が重症化する危険性は比較的高い。また、若くて健康であっても重症化・死亡する人もいる。

2 新型コロナウイルス感染症は免疫の疾患である

新型コロナウイルス感染症が人間社会を脅かすに至った理由はいくつか考えられる。まず、新型コロナウイルスに感染し病院を受診する1〜2割の人は重症化し、集中治療が必要となる。国の施設により異なるが、人工呼吸器を必要とした患者の4割程度が死亡するとされる。今後の疫学調査が必要だが、これらの割合は季節性インフルエンザよりはるかに高く、1918年にパンデミックとなったスペイン風邪よりやや低いか同程度の致死率と見積もられている。

新型コロナウイルスに感染してしまった個人にとって最大の問題は重症化だが、これはウイルスによる毒性によるものではなく、人間の免疫系の過剰反応によることが明らかになってきた。このパンデミックにおいて我々が怯えているのは、実は自分自身に内在する免疫系の暴走なのである。本稿を書いている現時点で、この暴走を防ぐ方法は限られている。

社会レベルで見たときの最大の問題は、人類がまだ新型コロナウイルスに対して免疫をもっていないことである。例えばインフルエンザに多少なりともかかったことがある人、ワクチンを打った人は、ウイルスに曝露《ばくろ》（人体が細菌・ウイルスなどにさらされること）しても感染しない（免疫がある）。一方、新型コロナウイルスに免疫がある人は現時点でもほとんどいないため、放っておけば水に突っ込んだ濾紙《ろし》が瞬く間に水を吸い取るように、流行はとめどなく広がる。新型コロナウイルスに対するワクチン開発に成功するまでは、封鎖（自粛）による伝染回避以外に積極的に流行を止める対処法は存在しない。

つまり、新型コロナウイルス問題の医学的核心は、われわれに免疫がないことと、ウイルスに対して免疫系が暴走して臓器障害から死に至ることの2点である。新型コロナウイルス感染症の本体は、免疫の疾患であると言っても過言ではない。

3 ウイルス感染からの回復に不可欠なT細胞

このように、新型コロナウイルスによるパンデミックの医学的解決の鍵を握るのは免疫系である。

免疫とは、疫（伝染病）から免れるための体の仕組みであり、これは免疫系（人体の免疫細胞ならびに免疫に働くタンパクを総称）が、病原体を体から排除する働きによる。ここで重要なのは、免疫系は一度感染した病原体に対しては迅速かつ有効に反応し排除できるので、通常、同じ病気には再びかかからずにすむか、かかっても軽い症状のうちに治癒するということである。この状態を免疫がある、と言う。このように免疫系には、病原体を記憶する能力（免疫学的記憶）がある。

免疫学的記憶は、血中を流れる白血球の一種であるリンパ球という免疫細胞によって担われている。リンパ球は主にB細胞とT細胞からなり、いずれも病原体の微小な一部（抗原）を認識して、個々の病原体に対して特異的に反応することができる。免疫学的な記憶は、B細胞とT細胞によって担われているのである。

抗体は、広く一般に知られている免疫の仕組みであるが、これはB細胞によって作られる。抗体はミサイルのように血中や組織の中に放出され、病原体の一部に特異的に結合する。それによって病原体の感染能力を失わせることができるとき、その抗体は中和抗体と呼ばれる。実際、新型コロナウイルスに感染すると、人体は特異的な中和抗体を作り、それ以上ウイルスがヒトの細胞に感染できないようにすることで治癒に導く。こうした抗体は治癒後もしばらくは体内に残り、再感染を防止する。それゆえ抗体は、免疫学的記憶が出来ているかどうかの評価に用いられる。

抗体は重要な防御機構であるが、新型コロナウイルスからの治癒や免疫学的記憶にとっては、抗体・B細胞のほかにT細胞が重要であることがわかってきている。実際、抗体産生がまったくできない遺伝病の患者（無ガンマグロブリン血症）でも、コロナ感染から問題なく回復した事例がある。つまり、抗体は治癒・免疫の必要条件ではない。ここで押さえておくべきことは、これらの患者のT細胞はまったく正常であったということである。

T細胞は、ウイルス感染からの回復に必要不可欠な存在なのである。このT細胞は、大きく分けて二つの種類がある。免疫系の司令塔・お助け役として働くヘルパーT細胞と、ウイルスに感染した人の細胞を自死させて処理するキラーT細胞である。

B細胞が新型コロナウイルスに対する抗体を産生するには、ウイルスに特異的に反応するヘルパーT細胞の助けが必要である。このときヘルパーT細胞は、サイトカインと呼ばれる信号伝達用のタンパクを周囲に放出し、B細胞だけでなく、ほかの免疫細胞の働きも助け、免疫反応全体を指揮する。ヘルパーT細胞は、ヒト免疫不全ウイルス（ＨＩＶ）の感染により破壊されてしまう細胞で、ＨＩＶ感染者は治療が受けられないと、ヘルパーＴ細胞が死滅し減少することで後天性免疫不全症候群（ＡＩＤＳ）を発症し、感染症にかかりやすくなり、適切な治療を受けないと死亡につながる。

一方、キラーＴ細胞はヘルパーＴ細胞の助けにより成熟し、ウイルス感染細胞を特異的に見つけ出して自死させる機能を獲得する。こうして新型コロナウイルスに特異的に反応する機能を得たキラーＴ細胞は体内をくまなくめぐり、ウイルスに感染した細胞を見つけ出しては、感染細胞に指令して自殺メカニズムを作動させ、ウイルスを排除する。このようにＴ細胞は、体内からウイルスを駆除する上で不可欠な役割を果たす。そして、治癒に至るまでの過程でＴ細胞が新型コロナウイルスの特徴を記憶する（Ｔ細胞免疫の確立）。

このようにＢ細胞（抗体）とＴ細胞は協調してウイルスを排除し、治癒に導き、免疫学的記憶を構築する。それゆえ、いったん新型コロナウイルスに感染し治癒した直後は免疫が成立しており、再感染の可能性は低いと考えられる。治癒直後に新型コロナウイルスに再感染したという報告が散見されるが、これらは検査の不備か、経過が長引いて治癒に至っていなかったかのどちらかである可能性が高い。

新型コロナウイルスに対する免疫があるのか、どの程度の強さなのかを知るには、新型コロナウイルスに対する特異的な抗体とＴ細胞の働きを測定すれば良いはずだが、Ｔ細胞免疫は測定困難なため、検査はもっぱら新型コロナウイルスに対する特異的な抗体の濃度（力価）を測る抗体検査に頼ることになる。

ウイルスに対する免疫学的記憶の安定性は、病原体によって異なる。例えば麻疹《はしか》は一度罹患するか適切にワクチン接種を受ければ、多くの人においてほぼ終生免疫が持続する（長期免疫）。それに対してインフルエンザのように、たえずウイルスが変化し、人間の免疫も徐々に減衰する場合には、毎年、ワクチンを打つ必要性がある。

一般的にコロナウイルスは、長期免疫が成立しにくいと言われる。新型コロナウイルスと類似のコロナウイルス（感冒を起こす他のコロナウイルス、SARS、MERSの原因ウイルス）の感染では、抗体量が半年から1年ほどの間に半分以下に減弱することが知られている。新型コロナウイルスでも同様に長期免疫は成立しないことが予想される。一方で、最新の研究では、コロナウイルスに対するT細胞免疫は長期にわたって維持される可能性も示されている。新型コロナウイルスに対する抗体と免疫の性質は、向こう1年程度の研究でその詳細が明らかになっていくだろう。

4　免疫系の暴走と「サイトカインの嵐」

結局のところ新型コロナウイルスの脅威は、感染者の一部であるとはいえ重症化・死亡する人が少なくないことにある。誰も重症化しないウイルスなら、そもそもパンデミックという問題にならない。そして、重症化するかどうかはウイルスよりも、むしろ人間の免疫系のウイルスへの反応の仕方で決まってくると考えられる。つまり、我々がパンデミックに直面したとき、自分の力によっては制御不能な自分自身の免疫の力に慄《おのの》いているとも言えよう。

新型コロナウイルスにおいて、多くの患者は肺炎の悪化により重症化する。肺の組織には、呼吸のための小さな空気の部屋（肺胞）が無数にあり、そこではマクロファージという免疫細胞が異物や病原体を食する（貪食《どんしょく》）ことで健康な肺を守っている。

これらのマクロファージがウイルスに反応しすぎて異常に活性化すると、サイトカインを産生し、他の免疫細胞を呼び込んで活性化させて炎症を引き起こし、肺組織を傷つけることとなる。炎症が生じると、血管の透過性が高まるため、血液内の水分が組織内に入り込み、肺胞は水分で溢れ、「陸で溺れる」状態となってガス交換ができなくなり、人工呼吸をはじめとする集中治療が必要になる。これが、典型的なウイルス性肺炎悪化の経緯である。

なぜ一部の患者でマクロファージが過剰反応するのか、その理由はあまり分かっていない。新型コロナウイルスによる肺炎では、それに加えて、免疫の働きにより肺の血管が詰まり、いっそう急速な悪化をもたらすと考えられている。ウイルスが肺の血管をはじめとして全身の血管の細胞（血管内皮細胞）に感染するという報告もあるが、その証拠はまだ限られている。少なくとも血管障害の主たる原因は、不適当な免疫反応が血管で生じ、血液の凝固・塞《そく》栓《せん》の形成が促されることによると考えられる。

新型コロナウイルス重症患者では、肺炎に加えて、免疫の過剰反応により血液の循環が悪化し、全身の臓器に障害が出ることもある。これは、T細胞やマクロファージが作る多量のサイトカインが血中に流れ込み、全身の免疫細胞が過剰に活性化して循環不全・臓器障害に至る危険な状態であり、「サイトカインの嵐（cytokine storm）」と呼ばれる。

サイトカインの嵐は、インフルエンザなど他のウイルス性肺炎で起きることもあるし、T細胞を活性化させることで癌の治療をする免疫療法の副作用として生じることもある。さらに、小児から青年にかけては、心臓の血管（冠動脈）や心臓そのものに炎症が起こることもあり、循環不全から死に至る場合もある。この病態は、川崎病のほか、ウイルス感染後に発症することが知られている心筋炎と類似しているが、未解明な点が多い。

こうした新型コロナウイルスによる重症化が免疫細胞の過剰反応によることは、重症患者への治療研究からも明らかになってきた。

英国で六千人余りを対象に実施された臨床試験の結果が今年（2020年）6月に発表され、ステロイド（デキサメサゾン）の投与は、呼吸不全を伴う重症患者の死亡率を有意に減少させることがわかった。

ステロイドは自己免疫疾患や様々な炎症性疾患に広く用いられる薬で、リンパ球やマクロファージの過剰反応を止める働きがある。これを投与することで、人工呼吸器を装着した患者の死亡率を三割減少させ、酸素投与のみの患者では死亡率を二割減少させたという。一方で、呼吸補助を必要としなかった患者には治療効果がなかった。つまり、呼吸補助を必要とするくらい肺炎が悪化している患者は、免疫の暴走により死亡に至る可能性が高くなっており、ステロイドの投与によりこれを部分的に止めることができるのである。

このように、新型コロナウイルス感染症が重症化するときには、肺組織の中の免疫細胞の過剰反応による肺炎の重症化と、全身の免疫系が過剰反応することによる重症化の二つのパターンがある。なぜ一部の患者で免疫細胞が暴走するようになるかについてはまだ不明な点が多い。これらの病態の解明がさらに進めば、重症例に対するより有効な治療法や、重症化を予防する治療法が見つかる可能性が高い。

5 集団免疫理論からわかること

現時点では新型コロナウイルスのワクチンはまだ存在せず、また重症化を回避する方法も限られている。流行を抑制する上で効果的な方策は封鎖（日本の自粛は封鎖の一形態）と、検査に基づく感染者の同定・隔離しかない。封鎖は、人と人との接触を物理的に遮断することによって感染機会を減らし、感染拡大を抑制する手段である。

新型コロナウイルスの場合、何の対策も講じられず、誰も免疫を持っていない状態では、一人の感染者が平均して2・5人程度にウイルスを伝染させると考えられている（これを基本再生産数R_0が2・5程度という。この数字は現時点での推定で、もっと高い可能性もある）。注意すべきは、何もしなければ、感染者数が累乗で（ネズミ算式に）増えていくということである。例えば、一人の感染者から、人から人へと感染を繰り返しつつ感染が拡大していくと、単純計算すれば10回の感染を経た段階で、約一万人に感染が広がることになる。こうして社会が何の手も打たなければ、指数関数的に感染者数が増加し、地域内での感染の爆発的増加、アウトブレイクが始まることになる。

いつになるかはまだ分からないが、このパンデミックも、やがては収束する。その鍵を握っているのが、免疫である。ワクチン開発の成功か、大幅な感染の拡大のいずれかによって、新型コロナウイルスに対する免疫を持つ人が社会の中で相当数を占めるようになってくると、一人の感染者が伝染させる人数が減ってくる（これを実効再生産数Rtという）。そして一人の感染者が一人以下にしか感染させない（実効再生産数が1を下回る）ようになると、その社会における流行は収束に向かう。やがて免疫を持っている人が社会の多数を占めるようになれば、感染者が出たとしても、周囲にいる人がみな免疫を持っているため感染は広がらず、流行は止まる。この状態を、集団免疫が成立したという。

そもそも集団免疫（herd immunity）という概念は、ある伝染病の流行をいったん経験した家畜の群れ（herd）では同じ伝染病が再び流行することはないという、１００年以上前の獣医学で認識されていた現象に由来する。その後、人間の麻疹においても、地域内でまだ感染していない人の割合が下がれば自然と流行が止まることがわかり、集団免疫の概念が人間にも用いられるようになった。最近は、集団免疫という用語は数理感染症疫学の文脈で、感染症流行の動態理解とワクチン接種の目標値設定のために使われることが多い。

集団免疫の医学的意味は、流行が止まり収束することにとどまらない。集団免疫が成立すれば、免疫不全や自己免疫疾患などの理由でワクチン接種が不可能で、かつ重症化する可能性が高い人を守ることができる。また、ワクチン接種をしていない、あるいはしても効果がなかった高リスクの人々（高齢者や糖尿病患者など）も守ることができ、死亡数を減らす効果も期待できるのである。

それでは、安定した免疫を持つ人が社会の何割程度にまで増えれば集団免疫は成立するのであろうか。ざっくり言ってしまえば、ウイルスの拡散能力以上に免疫のある人の割合が増えてくれれば、ウイルスの流行は収束する。これを数理的に説明すれば、ウイルスに罹患する可能性のある人が、基本再生産数R_0の逆数（1／R_0）以下になれば、実効再生産数は1を下回り収束することになる。

別の言い方をすれば、新型コロナウイルスにおけるR_0は約2・5と推測されているので、ウイルスに罹患する可能性のある人の割合が1／2・5＝0・4（40％）になれば良い。つまり、流行が収束するには60％の人が免疫を獲得している必要があるのである。ただし、ここで注意すべきは、R_0の推定がデータおよび数理モデルに依存しているため、R_0に基づく集団免疫の目標値も、大まかなものであるということである。実際には流行の広がり具合をモニタリングしながら、より精密な推定をしていくことになる。

集団免疫は、多くの人が期待しているワクチン開発によって成立するかもしれないし、その社会の6割以上の人が新型コロナウイルスに罹患することで成し遂げられるのかもしれない。あるいは、前述したとおり、もしウイルスに対する免疫が速く減弱するならば、集団免疫の成立そのものが難しいことになる。はっきりしているのは、何の対策も講じず成り行き任せにして感染者が増加し続ければ、病院機能は麻痺してしまうということである。そうならないよう、封鎖（自粛）によってウイルスを封じ込め、いったん落ち着いた後も再燃を防ぎ、感染拡大のスピードを遅くする必要がある。

ただ、厳格な封鎖によってウイルスを完全に封じ込めることに成功した場合、その地域の構成員が感染する機会がなくなるために、集団免疫が（仮に成立するならば）成立する時期が極端に遅くなってしまうか、場合によっては成立しなくなる。それゆえ、厳格な封鎖を実施するのであれば、解決策としてのワクチン開発あるいは治療法の開発が不可欠である。つまり、封鎖に苦しみワクチン開発にすがる現状は、生物学的にも論理的にも、残念ながら必然の結果なのである。

感染経験者がその社会で一定数に達するか、あるいはワクチンによって集団免疫が成立するまでは、封鎖を緩和して人と人との接触機会が増えれば、どこかの時点で必ず感染拡大は再来する。つまり、封じ込めに成功しても、人の移動がアウトブレイク再来の大きなリスクになる。特に多くの感染者が出ている地域との人の往来には慎重にならざるを得ない。このことは、今後の国際関係に大きな示唆を与えよう。例えば英国は、海外からやってきた人に対して基本的に2週間の自宅隔離を命じているが、フランスおよびスペインとの間では、相互に検疫をせずに済む仕組みを作ろうとしている。注意すべきは、現時点でこの3国は感染状況がよく似ていることである。このように、経済的な結びつきが強く、かつ感染状況が似ている国同士でのみ人の行き来が自由になる「コロナブロック」が形成されつつある。

集団免疫理論については、いくつか留意すべき点がある。

第一に、集団免疫の目標値は大まかな幾つかの仮定に基づく数理モデルによる推定値であり、免疫の性質についての仮定やどの数理モデルを使うかによって大きく変わり得るということである。つまり、研究の進捗、データの蓄積により、集団免疫の目標値は変化しうる。

第二に、集団免疫の性質は、個々人の免疫の性質によって決まるが、新型コロナウイルスに対する免疫の働きについてはまだ不明な点が多すぎる。先述したように、ウイルスに感染したときに産生される抗体は治癒後に減少していくと予想されているが、どれくらいの速さで減少するかによって、集団免疫が成立するまでの時間は変わる。

注意を要するのは、現在、ウイルスに対する免疫は抗体測定によってのみ推定されており、抗体を産生するB細胞とは別に、免疫学的記憶を担うT細胞の働きはおおむね無視されていることである。例えば、T細胞免疫が抗体よりも長期にわたって持続するならば、抗体が減少するとしても集団免疫は成立する可能性が高い。つまり、T細胞免疫の精密な評価方法が確立するまでは、集団免疫が成立する時期の予測には限界があるのである。

6　ワクチン開発の現状と見通し

これから開発されるワクチンがどの程度の効果をもつかは、集団免疫にかんする議論にも大きく影響を与えることになろう。限定された効果しか発揮し得ないワクチンしか開発できなかった場合、その社会の60％よりも多くの人がワクチン接種を受ける必要性が出てこよう。あるいは、ワクチンの効果が低かったり、免疫の持続時間が短かったりした場合には、集団免疫の完全な成立を目指すのは無理というシナリオもあり得る。そうした場合でも、感染拡大の勢いを抑制でき、重症化を防ぐ効果のあるワクチンが開発されれば、状況はだいぶ改善される。

実際、新型コロナウイルスの感染拡大と、封鎖による経済的損失により各国が苦しんでいる今の状況において、一日も早いワクチンの実現は、世界中で待ち望まれている。米英中を中心に、現在10種類以上のワクチンが、人を対象とする臨床試験に入っており、１００種類以上が前臨床試験（動物実験など）の段階にある。このように多数の試みがなされていることは、有効なワクチンがより早く完成する見込みが高まるので良いことであるが、懸念される点もいくつかある。

米政府は「ワープ速度作戦」と称して、新型コロナウイルスのワクチン・治療・診断の迅速な開発のために巨額の予算を確保し、製薬大手を支援して2021年1月までに3億本のワクチンを供給する計画を打ち出した。

本来ワクチンは、開発から供給まで最低でも1年半はかかるものであるが、これを6カ月程度に短縮しようというのである。米政府によれば、ワクチンの安全性・有効性を確認する前に大量生産を始めることで、この時間短縮を実現させるという。だが、米国は11月に大統領選を控えており、政治的にも複雑な状況にある。こうした中で、政治的な圧力がかかるのではないかという懸念が拭えない。実際、コロナウイルス関連で米政府の科学アドバイザーを務めるアンソニー・ファウチ博士は、「ワープ速度作戦」という名称が、科学的な検証をスキップできるような印象を与えかねないと批判し、安全性を重視し科学的手続きを守るべきだと主張している。

懸念材料はほかにもある。現在、開発が進められているワクチンのうち、先行するものの多くは、遺伝子組換え技術による新しいワクチン技術を利用している。これらの新技術は、ウイルス全体ではなく、ウイルス遺伝子・タンパクの一部をワクチンに組み込んで接種することで、新型コロナウイルス感染を予防する特異的な中和抗体を誘導することを目指している。

この新技術においては、すでに汎用されている技術を使ったワクチンよりも、より徹底的な安全性の確認が必要であり、臨床試験でもこの点が重点的に確認されることにはなっている。ごくまれに生じるかもしれない副作用も含めて、安全性を確認することは、ワクチン開発に際して不可欠の工程であるが、他方で、効果のないワクチンには意味がない。それゆえ臨床試験では、ワクチンによって十分な感染予防ができるか（防御免疫が成立するか）、重症化の回避に役立つのかの2点を確認するのが理想的である。しかし、これらの確認は決して簡単なことではない。

ワクチンの副反応を確認すること自体は、封じ込めを実現した地域でも可能だが、ワクチンの臨床的な効果を確認するには、流行地域でないと困難である。アウトブレイク下の英米のように、人口の数％が新たに感染する地域であれば、ワクチンのボランティア（数千〜数万人）の中から、たまたま新型コロナウイルスに感染する人が相当数出てくるため、ワクチンの効果を確認するために十分なデータが得られる可能性は高くなる。

留意すべき点はほかにもある。

ワクチンを接種すれば必ず重症化を防げるとは限らない。逆にワクチンによって感染症が悪化したケースも知られている。これは、SARSウイルスやデング熱で見られたことであり、抗体依存性感染増強と呼ばれる。まだ不明点の多い病態であるが、中和抗体として働かない中途半端な抗体が産生したときに、ウイルスに結合してもウイルスの感染能を抑制できず、逆にその抗体が足がかりとなって、マクロファージなどの免疫細胞にウイルスが感染してしまうことによると考えられている。新型コロナウイルスでは今のところこのような報告はないが、ワクチン開発にあたっては念頭に置いておくべきことの一つであろう。

感染しても大半の人が治癒する病気であるのだから、ワクチン接種によって感染を防ぎ、感染しても症状を悪化させず、確実に重症化を防げるようにできなければ意味がない。しかし先に述べたように、新型コロナウイルスの場合、重症化の機序はまだよくわかっていないので、ワクチン開発に際して、重症化の防止を実現するまでの道のりは長いものになると思われる。臨床試験で安全性が十分に確認され、有効性の検証も可能な限り行われたワクチンを広く供給し、多数の人への接種が済んだ後で初めて、感染を防ぎ重症化を防止する効果がそのワクチンにどの程度あるかが明確に確認できるようになるだろう。

以上のことから、安全かつ有効なワクチンが何の問題もなく早期に開発され供給されるというシナリオは、かなり楽観的にすぎるということが明らかになってこよう。むしろ、いくつかのワクチンは開発されても効果に乏しい可能性が高いし、ワクチンによる副作用が社会問題化する可能性もある。このような紆余曲折を経て良いワクチンが残り、パンデミック解決に資するというシナリオの方が現実的であろう。

7 過剰な期待の落とし穴と、反ワクチン運動の教訓

効果のある薬にはおしなべて副作用がある。深刻な病気の治療においては、治療から得られる恩恵の方が副作用よりも大きければ、多少の副作用は甘受して治療をすることになろう。

ところがワクチンの場合、健康な人たちに接種するものなので、副反応（ワクチン接種における副作用のこと）のことがより問題になる。ワクチンの接種は、将来の疾病を予防するために行われるので、病気の治療と比べると、個々人にとってその恩恵を感じにくいという微妙な事情もある。新型コロナウイルスは、我々にとって間違いなく脅威であるが、現在のように圧倒的多数の人が罹患していない中で、副作用が大きいワクチンを多くの人に接種することで、多数の人が健康被害に遭ったならば大きな社会問題になる。

それゆえ、本来ワクチンでは安全性確保が最優先課題であるべきなのに、ワクチン開発が過剰に政治化してしまうなら、これは大きな問題である。先進各国の首脳が、ワクチン開発を目玉政策として打ち出している。巨額の税金を投じることになるので、そうしたアピールをすることになるのだろうが、それが選挙対策や政権浮揚策のために利用されるのであれば、安全性がおろそかになってしまう恐れがある。

そもそも、ワクチン開発の可否は、最終的には人間の力だけで決まるものではない。人間の身体における免疫系の、生物学的な性質がその大勢を決めるのである。人間にできることは、科学的手法に沿って開発を進めること以外にない。ワクチンが安全かどうかを決めるのも人体の反応であり、（必要な手続きをすべて踏んでいる限り）科学者がいくら努力しようと限界があるのである。ましてや、政治の力でどうにかなるものではない。

ここで、日本その他の先進各国で高まりをみせていた反ワクチンの風潮について述べておきたい。ワクチンへの過剰な期待も、昨今の反ワクチンも、科学的な態度に基づくものとは言い難いのであり、ワクチンへの期待が、何かのきっかけで大きな不信へと反転してもおかしくはないからである。

反ワクチン運動の歴史について、ここで簡単に振り返っておくことは、新型コロナウイルスのワクチンについて考えるに際しても有益だろう。

ネット上にはさまざまな反ワクチン言説があるが、その淵源をたどると、麻疹・おたふくかぜ・風疹の3種混合ワクチン（MMRワクチン）が自閉症のリスクを高めたとする1998年の論文に行き着く。これは、英国のアンドリュー・ウェイクフィールド医師を筆頭研究者とする研究グループが、12人の小児患者を調べた結果をまとめ、権威ある医学誌ランセットに発表したものである。

ウェイクフィールドはこの論文を使って、メディアを巻き込んだ反ワクチン運動を展開した。このため英国ではMMRワクチンに対する恐怖心が広がり、ワクチン接種率が激減した。ところがその後、ウェイクフィールドが反ワクチン団体から多額の金銭を受け取っていた事実が発覚、さらには、論文で用いた患者のデータが捏造されていたことが明らかになった。調査に乗り出した英国医師会は、ウェイクフィールドが利益相反を報告しなかったこと、倫理委員会を通さずに患者に必要のない検査をしていたなどの理由から、2010年に彼の医師免許を剥奪する決定を下す。

さらにはウェイクフィールドの論文発表直後から現在に至るまで、各国の疫学研究者や世界保健機関（ＷＨＯ）による独立した疫学的研究により、ＭＭＲワクチンと自閉症は無関係であることが繰り返し明確に示されてきた。にもかかわらず、たった12人の患者の、しかも捏造されたデータに基づく研究結果を信じてしまう人は後を絶たない。このことは、近年、欧米各国で麻疹ワクチンの接種率が激減し、かつて一度は根絶されたかに見えた麻疹がアウトブレイクを起こすようになった問題に直接つながっている。今なお世界中で混乱が生じ、社会に実害を与えているのである。

それに加えて日本には、反子宮頸がんワクチン運動が一定以上の広がりをみせている。子宮頸がんはヒトパピローマウイルスの感染に起因するもので、ワクチンにより予防可能である。しかし、このワクチンの副反応によって健康被害が生じたとする科学的に根拠の弱い調査研究や論文が発表され、これを受けてメディアがワクチンの恐怖を煽った。

問題の一つは、エビデンスに乏しい調査研究や論文を行政機関がきちんと検証しないまま、「積極的な接種勧奨の差し控え」をするに至ったことである。このため、例えば札幌ではワクチン接種率が70％から1％以下にまで激減した。その後、現在に至るまで子宮頸がんワクチンの積極的な推奨が再開されることはなく、7年の月日が過ぎている。

この間、諸外国では接種率が維持され、オーストラリアなどではワクチン接種により有意に子宮頸がんが減少しており、ヒトパピローマウイルスの流行も集団免疫効果で抑えられている。それに対して日本では、現在13～26歳の女性のあいだで、以前の接種率70％を維持していれば罹患せずに済んだ約2万5千人の子宮頸がん患者が将来発生し、そのうち5千人以上が死亡すると予測されている。

新型コロナウイルスのワクチン開発が多数進められているということは、有効なワクチン開発に成功する可能性が高まると同時に、副反応による健康被害が生じるワクチンが出現する可能性も高まるということである。もしその副反応による被害が社会問題化した場合、実際には複数あるワクチンのうち、一種類だけがそうした問題を引き起こしたのであっても、新型コロナウイルスのワクチンすべてが疑念の目で見られることになってしまいかねない。

最悪のシナリオの一つは、ワクチン開発を急ピッチで進め、多数の人にワクチン接種を行った後、しばらくしてから、ワクチンを接種した人の方が、そうでない人よりも重症化しやすいという調査結果が出てきた場合である。

こうなると、ワクチン接種を受けた人たちは、重症化してはかなわないと、感染を避けるべくパニックに陥るであろうし、社会全体が、他のワクチンであれ、その接種を望まなくなるようになっても不思議はない。今後、大規模な感染拡大が起こらない限り、ワクチンによる重症化の有無を臨床試験の期間中に厳密に確認することは困難で、臨床試験の期間中では不十分で承認を得て広く接種が行われた後になる可能性が高いことを考えると、このシナリオを非現実的だと笑って済ませることはできない。

それゆえ、政府がワクチン承認を必要以上に急ぐのは賢明ではない。遠回りだと思われるかもしれないが、平常通り、安全確認と科学的な手続きを最優先することが求められる。先述したように、集団免疫の獲得にはその社会を構成する多数の人へのワクチン接種が必要なこと、ワクチンの有効性が十分でない場合、より多くの人への接種が必要となることを合わせ考えると、ワクチン接種を忌避する人が出てくるような事態は、パンデミックの収束を遅らせることになってしまうのだから。

むしろ、ワクチンは副反応を起こし得ること、拙速な開発は安全性を損ねる可能性があることを、現時点から率直に訴えていくことが重要だろう。

重症化を防ぐ上でワクチンが有効で、副反応がごくまれに生じるとしても、それを遥かに上回る恩恵を人々が得られると科学的に確証できた時、ワクチンは広く供給され接種されることになる。注意すべきは、世の中には、ワクチンを接種したくても、免疫学的な疾患のためにそれがかなわない人たちもいる、ということだ。こうした人々をウイルスから守るためには、その社会の多数の人たちが、ごくまれに副反応が生じ得ることを了解した上で、積極的にワクチン接種をするほかない。そのためには、広く国民のあいだに、科学技術ならびに政治・行政に対する信頼が形成されていなければならない。

先ほど私は、ワクチンをめぐる二つの事例を紹介したが、どちらも科学的に不確かな副反応報告に端を発する。ここから得られる教訓は、科学的根拠に乏しい報告を過度に恐れることは、すなわち科学的な視点を失わせることになり、ひいては、多くの人命を救い得たかもしれない可能性をつぶしてしまう、ということだ。臨床試験終了後も、ワクチンの有効性と安全性の検証はしばらく続くが、重要なのはここで科学的信頼性の低い報告に惑わされることなく、統計的に厳密な手法にもとづいてデータを粛々と収集・分析することである。統計という科学的手続きの重要性も、より広く理解される必要性があろう。

このように、新型コロナウイルスのワクチン開発を進めるに際して、先進各国の政府が、情報の透明性を確保し、科学的な手続きにのっとって、安全性の確認と効果の検証を遺漏なく行うことが、とてつもなく重要である。それを大前提として、国民のあいだで、ワクチンに対する理解を深めていくことが望ましい。そうすれば、パンデミックを機に先進各国の国民がワクチンの重要性を再認識し、パンデミックを克服できるようになるだけでなく、既存のワクチンをめぐる問題解決の契機にもなるかもしれない。

8　治療法開発でパンデミックは解決するか

新型コロナウイルスは、重症化しなければ怖くはない。それゆえ、有効なワクチンが開発できなかったとしても、重症化した感染者の治療ができ、また重症化を防ぐ治療法が確立されれば、パンデミックをめぐる医学的な課題はおおむね解決すると考えられる。しかし、そこまでたどり着くには、まだしばらく時間がかかると思われる。

現在のところ、先に紹介したステロイド以外に顕著な効果が確認された治療薬は存在しない。新薬の開発を期待する人もいるだろうが、新薬につながる基礎的発見に始まり、臨床試験を経て実用化するまで、通常10〜15年はかかる。それゆえ、既存薬からの再発見（薬効の再評価・適用範囲の拡大）が重要となる。

重症化を予防するには、抗ウイルス剤によってウイルスの活性を失わせるという抗ウイルス療法がひとつの可能性である。

新型コロナウイルスに対する抗ウイルス剤としての効果を検討する臨床試験が先行しているものとして、エボラ出血熱の治療薬として開発されたレムデシビルと、抗インフルエンザ薬として開発されたファビピラビルがあるが、いずれも期待されたほど顕著な効果はないようである。いずれにせよ、重症化予防のための抗ウイルス剤の開発には、まだ時間がかかると思われる。また開発に成功したとしても、抗ウイルス薬の場合、その薬が効かなくなるという耐性ウイルスの問題が生じる可能性があることにも留意すべきである。

他方で、新型コロナウイルスに対する特異的抗体を静脈注射することで重症化を予防するという抗体療法は、近い将来実用化される見込みが高い。ウイルスの活性を失わせ、ヒトの細胞に感染しないようにする中和抗体を人体に注入すれば、ウイルスに対して免疫が働かないような患者でも、感染を制御し得る。ただ、これは高価で副作用も生じ得る治療法なので、重症患者ならびに重症化するリスクの高い患者が対象になると考えられる。すでに多くの大学や製薬会社の研究室が、治療効果の高い中和抗体を探索・同定しているところである。

前に述べたように、新型コロナウイルス感染症の重症化は、免疫系の過剰反応のために生じる。それゆえ重症患者には、免疫細胞の働きを抑えるステロイドが効果を発揮する。さらに、リウマチなどの自己免疫疾患に使われてきた様々な抗体療法ならびに類似の治療方法を新型コロナウイルス感染症に適用できるかどうか、臨床試験が進められている。

これらの治療法が完成していけば、致死率を低下させ、後遺症に悩む人を減らすことに資するであろうし、治療期間も短縮できるようになって、感染拡大時の医療機関への負担も軽減することになろう。また、有効な治療の選択肢が増えていけば、新型コロナウイルスに対する人々の恐怖心をやわらげることにもなろう。これは、パンデミックを収束させる上で重要な要素であると考えられる。

9 われわれはどのようにコロナ禍を乗り越えるのか

集団免疫が成立する見込みがまだ立たない以上、安全で有効なワクチンが開発され広く接種されるか、十分な治療法が開発されるまで、社会の様々な場所で何らかの仕方での感染防止を続けることになるであろうし、感染規模が拡大すれば封鎖（自粛）がその都度導入されることになろう。この世界は、昨年の段階では想像もできなかった社会へと変貌してしまい、出口が見えない不安にわれわれは苛まれている。一体どのようにしてこのコロナ禍から抜け出すことになるのだろうか。

今後、どのようなワクチンや治療法が確立するのかまだ見通せないし、集団免疫がどれくらい形成されるのか、感染拡大がどの程度の頻度で生じることになるのかも、確定的なことは何も言えない。ワクチンが実用化された後は、ワクチン接種を受けた人の経過観察のほか、流行状況の分析などを継続させる必要があり、それによって初めて、少しずつであれ、集団免疫の効果が明らかになっていくことだろう。

人間の免疫系がどのように新型コロナウイルスに対処するかを理解することは、パンデミック解決のための重要なピースの一つである。現時点で参考になる数理的な予測では、ワクチンや感染によって形成される免疫が1年で減弱してしまう場合、当面の間コロナは1年に1回ほどの頻度で、大規模な感染拡大を繰り返すことになるという。ただしこの予測はかなり大雑把で、新型コロナウイルスに対する免疫の性質についての大まかな仮定に大きく依存している。例えば、抗体が1年の間に消失してしまったとしても、T細胞免疫が持続的に働いて重症化を防ぐならば、シナリオはより楽観的なものとなる。

新型コロナウイルスの免疫がどのように形成され、どのような性質をもつかの理解を深め、各人の免疫がどのような状態にあるかをより適切に評価できるようになれば、感染者の治療を進める上でも、公衆衛生政策を進める上でもプラスになるであろうし、パンデミック収束のあり方を予測する上でも重要であろう。

重症化するリスク因子として、高齢であることのほか、肥満・高血圧・糖尿病・循環器疾患など、いわゆる生活習慣病を挙げることができる。これらがどのようにして免疫応答と関わっているかには不明な点が多いが、現時点で留意すべきは、日本を含む各国で、貧困が生活習慣病の増加につながっていることである。

英国の研究では、新型コロナウイルス感染症による致死率は、富裕層が多い地域と比べて、貧困層の多い地域では2倍以上となっている。また、アフリカ系住民の致死率は、白人と比べて3・5倍も高く、これも社会的・経済的な格差に基づく可能性が高い。つまり、遺伝的背景よりも、家庭環境や生活習慣、そして労働環境に原因があるとする見方が優勢である。

とすれば、貧困をはじめとする社会的格差の是正を目指すことはパンデミック収束に近づく一歩となり、より一層強く求められるべきであろう。その一環として、低賃金労働者の労働環境の改善、貧困層における食習慣の改善、スポーツができる環境の整備などを進めることによって、新型コロナウイルスの犠牲者を減らす可能性があるかもしれない。このように、今回のパンデミックによって、社会が目を背けてきた、先進各国における貧困・格差問題という現実が、誰の目にも明らかになりつつある。ここで何をするかが、われわれにいま突きつけられている大きな課題である。

ここまで論じてきたことから分かるように、新型コロナウイルス感染症に対する特効薬や特効ワクチンが早々に出来上がるということは考えにくい。むしろ、向こう数年の間に、それなりに効果のある安全なワクチンと新しい治療法が確立し、これらが実施されることで、徐々に変化が生じていく可能性の方が高い。感染拡大のスピードがいまよりも鈍化し、封鎖（自粛）をする必要性が減り、感染したとしても重症化のリスクが減り、重症化した場合にもより多くの人命を救えるようになるのである。こうした積み重ねの末に、人々がコロナ禍を意識しなくなっていく。おそらくこれが、現実的なシナリオなのである。

このように、コロナ禍の時代の終焉は、平和条約の締結によって明確に終結を迎える戦争と違って、はっきりしない可能性が高い。有効なワクチンが開発されるならば、より早期に感染拡大を抑制できるようになり、やがて感染者数も減少して疫学的な終結に向かうだろう。それと並行して、治療法の選択肢が増えていけば、新型コロナウイルスに対する人々の恐怖心も弱まっていくという、心理的な意味での終結も訪れるであろう。

また、感染拡大をどこまで許容するかが、国や地域によって大きく異なってくる可能性もある。完全な封じ込めに成功したところでは、その状態の維持が政治的に優先される一方で、封じ込めを諦めたところでは、為政者が感染リスクを低く見積もることで、問題の「終結」を早めようとするかもしれない。その結果、期せずして集団免疫が形成されるなら（集団免疫が成立する確証は今のところないが）、緩和策を採ることで「終結」を目指すところも出てくるだろう。このように、国や地域による対応策が極端に異なるようになれば、そのレベルが一致しない国・地域間の交流は困難になる。このような分断が、国際政治における新たな火種にならないとも限らない。

あるいは、コロナ禍の時代が明確な終結を告げることはないのかもしれない。２００２年に発生したＳＡＲＳ、２０１２年に発生したＭＥＲＳの局地的な流行に続いて、今回の新型コロナウイルスという流れをみると、新しいコロナウイルスが野生動物から人類に感染する頻度が高まっているように見える。その他、近年のアフリカでは、マールブルグ熱、エボラ出血熱の流行が繰り返されている。

これらのことを合わせ考えると、現在の新型コロナウイルスの感染拡大が、最後のパンデミックとなる可能性はきわめて低い。それゆえ、新型コロナウイルスのパンデミックを制御するための社会インフラを整備したのち、各国はそれを長期にわたって維持し続けることになるかもしれない。

このことは、各国の市民が、どのような社会を望むのかという問題と不可分であり、個人の自由を優先する民主主義を維持していくのか、それとも社会全体の秩序と人々の管理を優先するような、より全体主義的な国家へ移行するのかという、政治体制の選択問題へと直接結びつく。これについては本論集の、他の論考で議論されるはずなので、そちらを参照されたい。医学・免疫学に立脚した本稿はここまでとする。

（２０２０・６・28）

2020年のパンデミックと「倫理のコア」

――「日本モデル」が示す人と組織の劣化

宮台真司（社会学）

1 屋上論

90年代初めまでは、たいていの屋上がオープンだったし、非常階段の入口もロックされていなかった。夜の代々木公園も新宿御苑も、公式には17時閉園であれ自由に入れた。そこはコロナ自粛要請で空っぽになった夜の渋谷の街――轟轟を覚悟して言えば僕は時々そこを散歩したのだった――みたいに、解放区であり、アジール（治外法権の場所）だった。

屋上や非常階段からの風景は、いつも見る街の風景とは違うし、夜の公園の風景も、いつも見る昼間の公園の風景とは違う。25年前に書いた「地上70センチの視線」論のように、地べた座りもそうだった。人が行き交う渋谷センター街の路上で地べた座りをすれば、いつも見慣れた街の風景が一変する。仲間で座れば皆で「社会の外」に出られる。

一定の作法を通じて、当たり前の社会が、突然「社会の弱い場所＝世界に通じる場所」を現出させる。読者は好きな人と観覧車に乗ったことはないだろうか。「ここを昔の屋上だと思おうよ」と言って二人で抱き合えば、「社会の弱い場所＝世界に通じる扉」を自分たちのものにできる。地べた座りの若者と同じく、一瞬にしてアジールに入れるのである。

僕は廃墟が好きで、アプリを使って廃墟の写真を集めている。そこが「社会の弱い場所＝世界に通じる扉」だからだろう。散歩していても、そんな「扉」を探している自分にときどき気づく。「扉」がどんどん消えつつあるのを、無意識に弁《わきま》えているからだろう。そんな感受性を持つ者たちは、コロナ禍に脅えつつ、どこかで解放されている自分を感じる。

僕は映画批評家として今世紀に入る直前から「閉ざされ／開かれ」というモチーフに彩られた映画が増えた事実を語ってきた。他方、若い世代は「世界への開かれ」を忘れ「社会へと閉ざされ」ている。閉ざされた若者にも「扉の存在を知らないだけで、世界へと開かれ得る敏感さを持つ者」がいる。映画を通じて扉の存在を知らせるのが僕の務めだ。

小学生の頃（１９６０年代後半）、子供向けコンテンツには「真夜中の遊園地」や「真夜中のデパート玩具売り場」みたいな「社会の外の世界に通じる扉」がよく描かれていた。僕自身がそうしたコンテンツに触発されて「扉」を探すようになったのだと思う。日本映画の極く一部と、海外映画の多くが、今も変わらず「世界に通じる扉」を描き続けている。

気づかぬ内に自分たちが少しも自明ではないシステムに閉ざされてしまったという汎シス

テム化 pan-systemization の感覚をシェアする者たちが、小さな界隈ではあれ増えてきたのがあるだろう。日本では黒沢清監督作品がそうだが、海外作品の多くが、廃墟とそこに誘うヤバイ人 strangers を描く。観る度にゾクゾクする。ゾクゾクすると僕は散歩する。

そうした「世界に通じる扉」で僕はよく青姦した。定住以降、農耕の必要から、「言葉の自動機械・法の奴隷・損得マシーン」つまりクズとして社会を生きざるを得なくなった我々は、辛うじて祝祭と性愛だけを「社会の外に出る扉」として用いてきた。だから性愛の時空と社会の時空が峻別され、社会に性愛が露出するのを「猥褻」として退けてきた。

「社会の弱い場所」で男女（ないし男男や女女）は性愛を通じて「社会の外」に出る。「言葉の自動機械・法の奴隷・損得マシーン」であるのを忘れて「言外・法外・損得外のシンクロ」を体験する。なぜなら、そういう場所が、「瞬間恋愛」を含めて、まさに「社会の外」であるような眩暈の時空に充ち満ちた性愛関係を、アフォードしてくるからである。

生態心理学はアフォーダンス概念を中核とする。元々アフォード afford とは金を渡して自由にさせることを言う。山道で岩に腰掛ける時、座れる物を探して見つけて座ったのではない。それらしい形状をした岩が、座るようにアフォードした。生態心理学の考え方だ。「夜の遊園地」と言えば『ウルトラQ』のケムール星人の回（「2020年の挑戦」）、「夜の玩具売り場」と言えば『ウルトラセブン』のチブル星人の回（「アンドロイドゼロ指令」）だった。1960年代後半の子供向けコンテンツにはそうした「社会の弱い場所＝世界に通じる扉」がテンコモリ。子供だけの時空である「土管が置かれた工事現場」もそうだった。

当時の日本の大人たちは、そうした表現を通じて子供たちにアフォーダンス体験の潜在能力を提供しようとしていた。数多の本で書いてきた通り、1980年代からそうした「アフォーダンス時空」が急速に消え、1990年代半ばに完全に失われた。そうした「扉の時空」が完全消滅した頃に小学生だった世代が、間もなく小学生の親になろうとしている。

1990年代半ば以降に野外セックスを経験した40歳代に尋ねても「場所にアフォードされた体験」は皆無だと誰もが言う。思わずやる営みならぬ、計画してやる営み。むろんアフォーダンスは場所の問題だけでなく素質にも左右される。だからこそ子供時代にたっぷりアフォーダンス体験をさせろと呼び掛けるのが「ウンコのおじさん」ワークショップだ。

大人であっても「社会の外＝世界」へと開かれた感受性を、忘れていながら宿している人がいる。僕の映画批評の言葉はそんな大人たちへの呼び掛けでもある。そうした大人たちに、「開かれ」を再び思い出して周りの子供たちをそうした方向に導いてほしいからだ。子々孫々を思えば、大人たち自身がもっと「世界に通じる扉」に向けて開かれてほしい。

第2波ロックダウンが来たら再び「世界に通じる扉」に変わった街全体を体験できよう。そこを恋人と歩いてみたいと考える若者たちがいても、不謹慎であるとはいえ、否定したくない。僕はそこにコロナ禍が与えてくれる数少ない希望を見出すからだ。思えば、僕はいつも「社会の弱い場所＝世界に通じる扉」を夢想しながら散歩してきたように思う。

そこに扉らしいものがあると予感したら、思わず出かけてきた。だから疑似ロックダウン（外出自粛要請）直後の「深夜0時以降の渋谷（自宅近所でもある）」を歩き回った。映画『イントゥ・ザ・ワイルド』の最後の台詞みたいに、「誰かとシンクロしながら、その扉の前に立ちたいな」とか「そうした若いカップルがいればいいな」と期待して……。

人は元々そういう存在だった。だから祝祭や性愛を待望しつつ「社会への閉ざされ」を「なりすまし pretending」で遣り過ごし、祝祭と性愛を通じて「世界への開かれ」を体験して他者と融合するという「なりきり becoming」を生きて力 virtue を回復した。１９８０年代に各地の祭りを巡った。祝祭を待望してクソな毎日を遣り過ごす作法が一部で健在だった。

2　コロナ禍以前の状況

巨視的にみればいずれ日本は沈むだろう。経済的にも政治的にも社会的にも。コロナはそれを加速させるだけだ。僕の考えでは、それは「良いこと」だ。経済を見ればコロナ禍以前から惨憺たる指標である。まともに見えるのは失業率や株価のような盛れるデータだけ。失業率は非正規化すれば盛れる。株価は日銀とＧＰＩＦの買い入れを増やせば盛れる。

コロナ禍以前の昨年末段階でＧＤＰは年率７・１％の低下を示した。昨年一人当たりＧＤＰは韓国とイタリアに抜かれた。大都市を除く最低賃金は欧州の２分の１から３分の２。家計の実質所得は１９９７年が最高で、25年近く低下し続けた。労働者１人当たりの生産性は米国の2分の1。5Gの基幹特許数は中国の7分の1、米国の5分の1、韓国の3分の1。

背景は東日本大震災での原発爆発事故後の顚末からも明白だ。既得権益層が産業構造改革を許さないからだ。なぜ許さないか。善や正しさより損得勘定が優先するからだろう。子々孫々に良きプラットフォームを残そうとする内発性が欠けるのだ。沈み欠けた舟での座席争いに淫する。それを指摘されれば俺が死ぬまで沈まなければいいと嘯《うそぶ》く者さえいる。

政治を見てもコロナ禍以前から惨憺たる状況だ。モリカケ（森友・加計学園）問題や桜を見る会問題が噴出。公文書は隠蔽と改竄の嵐。文書廃棄の上で国会答弁や記者会見で公然と嘘をつきまくる。NHKをはじめ政治部に支配されたマスメディアは大本営発表をなぞる。社会的発言を装って実存的不安を埋め合わせる神経症のウヨ豚がネットを埋め尽くす。

背景は世代が若いほど安倍政権の支持割合が高い事実からも明白だ。若い世代ほど将来が不透明なのもある。だがそれがまさに「正しさよりも損得」の精神性を証左する。将来不安の根源を見ずに「見たいものだけを見て」安心したがる。盛られた経済指標もあれば第2次安倍政権で若干上がった待遇もある。だがネットで探せる国際比較データは見ない。

同じく若年世代の生活満足度が過去のどの年度よりも高いのも「見たいものだけを見る現状維持志向」の表れだ。他方、同世代では世帯収入が平均より上で且つ「未婚ないし恋人なし」の男に安倍支持と（大阪）維新の会支持が多い（週刊プレイボーイ2014年3月31日号）。貧困層ならぬ没落中流がナチスを支持した過去（フランクフルト学派）に似る。

社会を見ても悲劇的な状況だ。子供経済格差は先進41カ国中ワースト10、再配分での子供貧困率削減幅は先進37カ国中ワースト7、経済階層による学力格差は先進39カ国中ワースト14、30歳未満若者自殺率は先進37カ国中ワースト12（２０１７年ユニセフ）。男性育休取得率は先進国はノルウェー9割から米国2割の間に分布するのに日本は3％だ。

日本青少年研究所の２０１４年の高校生調査では「どんなことをしても親を世話したい」割合は中国88％、米国52％、日本38％。「親をとても尊敬している」割合は米国71％、中国60％、日本38％。「家族との生活に満足している」割合は中国51％、米国50％、日本39％と惨憺たるデータだ。経済も政治も劣化する中で、頼みになる家族も空洞化が進んでいる。

同じく２０１１年調査では「自分は価値のある人間だと思う」とする割合は米国57％、中国42％、韓国20％、日本8％。「自分を肯定的に評価できる」割合は米国41％、中国38％、韓国19％、日本6％。これは２０１４年調査だが、「自分をダメな人間だと思うことがある」は米国45％、中国56％、韓国35％、日本73％。経済も政治も家族も空洞化する中、頼みの自分にも自信がないのだ。

背景は結婚に関わるデータで推測できる。２０１５年国勢調査では年収が低い男ほど未婚率が高く、年収が高い女ほど未婚率が高い（年収１２５０万超では6割未婚）。男の生涯未婚率は正規雇用17％、非正規51％だが、女の生涯未婚率は逆に正規22％、非正規8％。女は金に余裕があれば結婚せず、男は金がないと結婚できない。夫婦の紐帯が「愛より金」なのだ。

3 パンデミックの歴史的効果

コロナ禍が何をもたらすかはパンデミックの歴史的効果を見ると分かる。周知の如く14世紀欧州のペスト大流行による宗教的権威の没落が世俗化としてのルネサンスを後押しした。17世紀欧州のペスト大流行による王の権威の没落が市民革命を通じて民主化を後押しした。私見ではパンデミックはいずれは起こる時代の変化を加速する機能を果たしてきた。

この100年はやや複雑だ。第1次大戦直後のスペイン風邪大流行は統治権力を衰退させ、戦間期前期の「渾沌の時代」――エログロナンセンス（日本）、狂騒の時代（米国）、狂気の時代（フランス）――をもたらし、その反動として戦間期後期の「統合の時代」――ナチス（ドイツ）、ニューディール（米国）――をもたらし、二度目の最終戦争を具現させた。

複雑化した社会では加速がもたらす反動が予見不可能な帰結の玉突きを生む。それを踏まえれば、コロナ禍はいずれ生じただろう社会の変化をまず加速する。衆目に明らかなのはテック（ハイテクノロジー）によるリモート化だ。仕事・教育・娯楽などの全領域で10年を要しただろうテック化が1年で進む。だがそれがもたらす玉突きは予見不可能である。

緩やかなテック化ならさほど意識せずに学習的適応が進んだものが、加速度的テック化が様々な副作用への気づきをもたらし、反動と反反動のせめぎ合いを生もう。私見では、先進各国で19世紀から進んだ「生活世界からシステムへ」の流れの果てに、20世紀末から生じた汎システム化 pan-systemization の副作用への広汎な気づきがもたらされている。

他方、汎システム化の中でフラット化しつつあった各国——どの国に行っても同じ風景——の差異が顕在化する。パンデミック対応を巡って各国の統治システムの方向と性能の優劣が際立つからだ。各々方向性が違うとはいえ中国・韓国・台湾・シンガポール・ドイツなどの政治行政的対応が賞賛されている。ここではドイツを典型例として見聞しておきたい。

4　暴露された統治の性能

パンデミックへの事前対応をしてきたドイツは、自国での対処のみならず、医療体制が逼迫したイタリアから何十人もの重症患者を自国の病院に移送して治療した。フランスからも重症患者を受け入れた。国境を接する以上、一国内の問題で済まない事情があるとはいえ、ドイツの公共精神への賞賛を生んだ。公共とは自分から遠い範囲への気遣いを言う。

日本はどうか。確かに死亡率は欧米各国と比べて2ケタ少ないとされる。安倍首相は緊急事態宣言の解除を宣言する際「日本ならではのやり方で日本モデルの力を示した」と述べた。だがそう思っているのは日本人の一部だけ。統計的に精査すると日本政府のパフォーマンスレベルの低さが改めて内外に示される貴重な機会となった。具体的にみよう。

１００万人当たりの死亡者は欧米各国では１００人から数百人に及ぶが、東アジア各国は共通して6人以下。だが日本は約8人。ただし日本以外の各国は徹底的なＰＣＲ検査を経た数値だが、日本は検査数が極端に少なくてコロナ死が漏れなくカウントされているか不明。日本の感染者数は所詮「感染判明者」に過ぎず、専門家会議の副座長が10倍はいると述べた。

東アジア各国比較では日本は失敗した。それでも欧米各国に比べれば感染者も死者も少ない。東アジア各国の少なさの原因は「ファクターX」と呼ばれて未だ判然としない。通常の風邪に占める4種類のコロナウィルスによるコロナ風邪の割合は2割。冬期の風邪増加が東アジア各国の特徴で、これが軽い曝露への免疫を形成しているとの説が有力だ。

日本に戻ると、日本の失敗はＰＣＲ検査の極端な少なさによる実態不明による。日本独自のクラスター対策はユニークな選択というよりむしろ、検査インフラの未整備ゆえにそれしかできなかったからだという実態がクラスター対策班のメンバーから漏れ聞こえる。であればそれを国民に説明すべきであったが、やってる感の演出のためか説明はなされなかった。

実際にそれしか出来なかったかどうかは疑問だ。地域毎に無作為抽出の疫学的検査をすれば実態が分かるからだ。実態を知らせたくないという思惑を疑わせる稚拙さだ。それはともかくＰＣＲ検査体制の確保のために49億円の予算がついたが、アベノマスクの予算計上は10倍の４６６億円。この優先順位の出鱈目が内外に知られた。それが日本の統治の性能だ。

出鱈目なのに感染が抑えられたことをＡＦＰ通信など海外メディアは「Japan Puzzle（日本の謎）」と報じた。感染症専門家の岩田健太郎は、これは各地での散発的クラスターの追跡と捕捉に成功したからで、検査不足なのにそれができたのは単に患者数が少ないからだと指摘。韓国のように短期に大量の患者が発生していたら到底不可能だったとしている。

我々が経験しているのは生態学的ルーティンであって異常事態ではない。それが我々の歴史の推転をもたらした事実を先ほど指摘した。それで言えば、今回の感染拡大を機に統治システムの性能が問われ、ヘゲモニーを上昇させる国と下降させる国が鋭く分岐するだろう。これもまたパンデミックが歴史の推転を加速する重大な事例になると予測できる。

全ての免疫学者が言う通り、新型コロナに感染しても免疫ができるか否か不明だ。抗体には免疫形成に繋がるものとそうでないものがある。免疫形成に繋がったとしても持続期間が不確かだ。従来のコロナ風邪から見て免疫は長くて一年もたないと予測されている。だから、一部で期待される集団免疫化も定かではないし、ワクチンの効用も定かではない。

感染症学者の多くは決定的な治療法――インフルエンザのような抗ウィルス薬――の確立以外ないとするが、抗ウィルス薬開発にはワクチン開発の数倍以上の時間が必要だ。それまではたとえ一国で抑え込みが成功しても、海外との行き来が活発化すれば必ずぶり返す。とすれば、今後数年以上の長きにわたって世界の各都市でロックダウンしては解除することの繰り返しになる可能性がある。これはグローバル化社会の必然だという他はない。

5　テックを巡る重大な分岐

今のところグローバル化の諸機能をテックによるリモート化に置き換えることはできない。

ゆえに断続する各都市のロックダウンはグローバル化の諸機能を阻害する。それは必然的に経済活動の停滞を招く。投資も消費も手控えられて税収が低下する。すると公共サービスが縮小。経済の停滞で路頭に迷う人を包摂する筈の政治も必然的に停滞してしまう。

日本ではゼロリスクマニアの安心厨《ちゅう》が跋扈するが、政治的にはコロナ死と経済死——日本では自殺者数に表れる——の合計を減らすしかない。経済死にはタイムラグがあるのでバランスをとるのは至難の業だ。困難緩和の必殺技として期待されるのがテックによる垂直的生体監視（中国等）と水平的情報シェア（旧西側）だが、そこに重大な分岐がある。

この分岐は世界的識者が既に指摘する（ユヴァル・ノア・ハラリやマルクス・ガブリエル）。中国を典型とする垂直的生体監視は、各人の行動履歴を漏れなく統治権力のサーバーに吸い上げてフラグを立て、統治権力が各人を行動制約する。各人の価値やライフスタイルと無関連なこの社会制御の有効性は、中国での短期間での感染抑制成功で実証された。

他方、グーグルとアップルによるアプリ開発など旧西側の水平的情報シェアは、人々の行動履歴を匿名的に蓄積。感染者や感染の疑いのある人々が集まる感染リスクの高い場所にフラグを立てて情報を共有。情報を元にどう行動するかは各人の自由に任せる。テックを用いないもののこの情報共有&相互信頼の戦略はスウェーデンに典型を見ることができる。

情報の一面だけを切り取る向きがこれを集団免疫化戦略と呼ぶが、ポイントを逸する。重要なのはこれが歴史的に醸成された普遍主義戦略であることだ。換言すれば、自由に振る舞った結果として何が生じても一定水準の生活を政治的に保障する。自由ゆえに死者が増えても不安は蔓延しない。これが歴史的リソースに依存する分、各国にはハードルが高い。

このリソースには2つ柱がある。「政府に対する信頼」と「市民相互の信頼」だ。これはテックによる水平的情報シェア戦略を採る場合も変わらない。生体監視するのは政府から切り離されたサーバーだと信頼でき、且つシェアされた情報を元に各人が賢明に振る舞うことを各人が信頼し合う。こうしたリソースが日本にあるかを思えば絶望せざるを得ない。

文書の改竄・隠蔽・捏造で知られる日本政府を信頼するのは間抜けだ。要請があろうが「自粛」は文字通り自由意思なのにウヨウヨ湧く「自粛警察」に見るように、市民の相互信頼も皆無に近い。汎システム化（システム化による共同体消去）ゆえに仲間がいない日本人は、お上に依存する「ヒラメ厨」と周囲にビクつく「キョロメ厨」だらけである。

これは江戸時代の善政（ヒラメ厨）と「五人組」的統治戦略（キョロメ厨）に由来し、維新政府以降今日まで当てにされてきた文脈なので簡単に変えられない。他方米国では「州自治」の伝統と「政治的不介入」の伝統の矛盾から、強力なロックダウン策を採ったニューヨーク州クオモ知事への連邦政府の強制介入を求める世論が昂じる混乱状態にある。

ことほどさように「政府への信頼」と「市民相互の信頼」の2本柱を揃えるのは、歴史が形成した社会的文脈ゆえに簡単ではない。これが旧西側の水平的情報シェア戦略における文脈依存性という弱点だ。中国の垂直的生体監視戦略は「政府への信頼」も「市民相互の信頼」も不要。旧西側テックと中国テックの戦いは、後者の勝利で終わる可能性が高い。

これは「民主主義的レジーム」と「非民主主義的レジーム」の競争だ。旧西側でさえ戦時の如き非常時に全体主義的戦略を採用してきた歴史に鑑みれば、コロナ禍が断続せざるを得ない――森林開発による動物との接触増大や温暖化による古い氷の融解で今後は高頻度のパンデミックも予見される――「常時非常時」的状況では、後者が競争に勝つかもしれない。

詳しく見れば旧西側であれ、スウェーデンと日本の極端な落差が示す通り、民度の高い敗北しない国と、民度の低い敗北する国とが極端に分岐しよう。間違いなく後者に属する日本では、背に腹は代えられないとして、経済とコロナ対策を両立させるべく中国の如き垂直的生体監視を導入する可能性さえある。テックを巡る重大な分岐から目が離せないのだ。

6「日本モデル」の実態

抽象的に言えば、従来我々が意識しなかったことだが「民主主義的レジーム」の持続可能性は完全に条件依存的だということだ。極めて高い蓋然性で日本はこの条件を持たない。日本には、水平的情報シェア的なテックが機能するのに必要な「市民相互の信頼」と「統治権力への信頼」のそれぞれに反対物があるからだ。具体的には自粛警察と安倍政権だ。

隠蔽・改竄の常習犯である安倍政権から出てくる情報を、神経症を患っていないという意味でまともな市民が、信じられる筈がない。信じられない情報をベースに市民相互が信頼し合い知恵を出し合って賢明に振る舞うのは不可能だ。オルタナティブなネット情報は多種多様で市民相互をむしろ分断する。かくて安倍政権は「市民相互の信頼」をひたすら壊す。

既に述べた自粛警察は日本特有の「統治権力のケツを舐める自警団制度」で、ルーツは江戸期の五人組に行き着くが、直接的には明治期に形成された。近代化を急ぐ明治政府にとって以前から続く自然村（自生の村）は解体すべき存在だった。民権運動で秩父の農民らが高利貸しへの返済延長と村民税減税を求めて武装蜂起した事件がトラウマになった。

秩父事件はピーク時には1万人を動員、政府は軍を出動して鎮圧した。自然村は政府にとって潜在的抵抗勢力だった。だから政府は自然村の紐帯分断を試み、代わりに脱共同体化した人々に「日本」という仮構の精神共同体をあてがった。共同体の空洞化で不安になった人々が、埋め合わせに「日本」という観たこともない所属集団に縋《すが》るようになったのだ。

かくて国と一対一で接続されて個人化された人々が、国の指示で自警団をつくり、国家に逆らう人間を見つけ出して血祭りに上げる営みに淫した。共同体から切離されて不安を抱えた人々の、戦後の新たな所属先が企業だった。共同体解体と、それがもたらす不安につけ込んで国や企業に思考停止で所属させる統治戦略こそ、日本の「総動員体制」である。

その事実に僕らは気付くべきだ。それに無自覚なまま、ポンコツな統治権力を前に頭を垂れ、統治権力からの指示への思考停止的な依存を競う「ケツ舐めぶりの相互監視」に淫する。これぞ世界にも恥ずかしきセルフ・ポリシング・グループ（自警団）の歴史的実態だが、コロナ禍の不安昂進で更に活発化している。これが安倍の「日本モデル」の実態だ。

7 クズのクズによるクズのための政治

日本は、クズの、クズによる、クズのための政治になっている。クズとは「言葉の自動機械・法の奴隷・損得マシン」を意味する。精神病理学 psycho-pathology 的には3項が同時生起する。安倍政権の長期化でこの手のクズが炙り出されて来た。そのことを期待して僕はラジオでも安倍政権支持を（同じくトランプ支持を）ラジオなどで公言してきている。

クズ炙り出しの具体例は枚挙に暇がない。フィールド調査をした沖縄が典型だが、シングルマザーで子育てをしつつ何とか暮らす人は夜の接客業や風俗業をすることが多い。そういう職場が「3密」だとされ、真っ先に営業自粛を求められて収入を失った。夜の接客業や風俗業を助成金の「対象とすることが適切なのか」と差別発言をした加藤厚労相はクズである。

同種の事案が直近の東京で生じた。PCR検査数が極端に僅かなので検査数を増やせば感染判明者が増える。歌舞伎町等「夜の街」はクラスター対策を口実に検査数が増えたが、只の感染判明者を「感染者」と称する事態の隠蔽で、行政に協力したのに「夜の街」が仮想敵の如く設《しつら》えられ、検査不徹底の無策が差別的な「やってる感」の演出の犠牲になった。

そもそも自粛は任意だ。任意で自粛要請に従うには補償とセットである他ない。「夜の街」を含めた飲食店や娯楽施設も例外ではない。コロナ死も一大事だが、補償抜きないし補償遅延で休業すれば、事実上は失業と同じ。生活必需品も買えなくなって、金を誰からも借りられず、追い詰められた挙句に自死する人が出てくる事態も、劣らず重大事である。

コロナ死や重症化を回避すべく検査体制や病床の確保を含めた医療資源を投入することと、自発的な休業による生活困窮で自死したりする人が出ないように「例外なく＝普遍主義的に」補償や融資の公的支援を行うことの、バランスを考えて資源配分するのが政治家の責務だ。分かりやすく言えば「コロナ死者と経済死者の総数が減る」ことが肝腎なのだ。

欧州各国は法的強制力をもつロックダウンをする一方で6〜8割の休業補償を迅速かつ普遍主義的に行った。日本の政治家は財政的既得権益を守るべくそれをしたくない。それをせずに済ませるには強制よりも自粛の方が好都合。だからロックダウン強制の法律がないのを逆手に取り、「飽くまで自粛要請で、どうするかは皆さん次第」と責任逃れを口にした。

国民を思う心に著しく欠け、自分の身が危うくなるや法を捻じ曲げようとする感情の劣化した首相。自分のポジション維持だけを考える感情の劣化した官邸官僚たち。クズを批判するのは容易だが、先へ進むには分析が必要だ。そもそも行政官僚は「予算とポストの動物」（ウェーバー）。だからこそ彼らの営みが計算可能になり、官僚制組織が機能する。

だが「予算とポスト」だけが作用因子だから、行政官僚は国民益に反する方向に暴走し得る。それを抑止するには政治家が大局的見地から行政官僚に目的を与えねばならない。それを可能にすべく近代国家の権力関係は「国民＞政治家＞官僚＞国民＞政治家＞官僚…」の循環をなす。部分を取れば「市民が制御する政治家・が制御する官僚」となる。

ところが安倍は、議院内閣制を逆手にとって国民による制御から離れ、お友だちの権益保護や我が身御大切の私利私欲で行政官僚を使い回す。と見えて、行政官僚から観れば赤子のガラガラよろしく憲法改正と私欲貫徹をチラつかせるだけで、教養と倫理を同時に欠く安倍はどうにでもなる。官僚の暴走を掣肘する筈の政治家が官僚暴走の手先として暴走する。

菅官房長官主導の内閣人事局設置までは事務次官ポストが各省の頂点だった（法務省のみ検事総長が頂点）。官僚界隈は入省時に1・2位、せいぜい3位につけないと無意味。4位以下は事務次官になれない。かくて劣等感を抱く劣位官僚を官邸官僚として取り立てれば政権のケツを舐める。劣等感を抱く者の振る舞いを熟知した者がやる卑劣な方法だ。

すると1・2位の官僚も心穏やかでいられない。自分より能力も倫理も劣るクズが登用されて官邸官僚として偉そうに指図してくるのが耐えられない。能力も倫理も優れた筈の官僚が「自分も省内から政権のケツを舐めてのし上がるぞ」と劣化競争に参加する。「ケツ舐め連鎖のムカデ競争」である。こうして霞が関全体にモラルハザードが拡がっていく。

となると民主主義が可能にする知識社会化——知恵を集める営み——が機能不全を起こす。統治や国家運営に必要な知恵を集められなくなる。もしこれが企業なら経営が一気に傾いて倒産の憂き目に遭う他ない。興味深い調査結果がある。米国のPR会社エデルマンの調査では、企業の経営幹部に対するリスペクト度が先進各国の中で日本が一番低いのだ。

政治・経済の諸条件に恵まれて既得権維持だけで生き残れたがゆえに、他国と違って日本では優秀だからではなく上司に媚びてケツを舐める「イエスマン」だから経営幹部になる。その事実を日本の勤労者が知っているのだ。エデルマンの調査が示唆するのは、日本は官邸だけでなく、企業まで「ケツ舐め連鎖のムカデ競争」的文化に浸《ひた》されている事実だ。

8 少しは明るい兆し

他方、コロナ禍で、安倍政権のケツを舐めていたら自分たちも沈むと気づき、独自の方針を打ち出す自治体が出てきた。和歌山県知事は、今年2月に病院で感染者が出たのを受け、政府が出したガイドラインに依拠せず、県内の肺炎患者全員と無症候感染の可能性のある県民全てにPCR検査を行い、感染者を出した病院も翌3月には業務再開に漕ぎ着けた。

各地の市町村も休業補償を含めた独自救済策を打ち出したが、「安倍の言う通りにすれば保身できる」という「平時の思考」に慣れきった思考停止の自治体首長が多数派。これを支持する「日本すげえ」と言いたがる「ウヨ豚」も依然少なくない。見たいものだけ見て、独自に振る舞う者を「不安を煽るのか」と非難するヒラメとキョロメもウヨウヨする。

非正規の雇用が増えて最低賃金が微増したのを、諸外国との実態比較を見ずに「安倍の御蔭」とし、不安な現状改善より確実な現状維持にしがみつく安倍支持者は、若年層ほど多い。「正しさと愛」よりも「損得と安心」に淫する傾きは若年世代に顕在化している。彼らは社会心理学でいう認知的整合化に淫し、安倍に関わる否定的情報にアクセスしない。

これは「ポスト真実」の動きだ。米国でも拡がる。誤解しがちだが、デマや煽動に靡《なび》くことを意味しない。真実だと知っていても、自己のホメオスタシス homeostasis of the self のために無視する営みを指す。見たいものだけを選べるSNS化がこれに拍車をかける。官僚組織だけでなく民のレベルでも知識社会化が崩壊した以上、日本は必ず沈もう。

そうした中、自らの地域を自らの手で守ろうとする自治体と、既得権益保持と自己保身のために認知的整合化に勤《いそ》しむ自治体が、二極化しよう。マクロには既述の理由で日本沈下が不可避にせよ、地域・家族・仲間に埋め込まれているがゆえに地域・家族・仲間に貢献しようとする人々が、どれだけ分布するかで、各人と周囲の未来は大きく変わってくる。

再確認すると、クズのクズによるクズのための政治と経済（企業）が、日本を覆う。生産性は劇的に低く、犯罪者が首相を務める。これでは子々孫々は救われない。そうしたレジームを自己のホメオスタシスゆえに支持する者は、ヘタレでこそあれ、愛国者ではあり得ない。愛国者とは、危機に際して国民の生存のために動的情報探索に基づく実践に勤しむ者だ。

9 感情的劣化の処方箋

日本初の民間右翼団体玄洋社を創設した頭山満は、立派な人格と見込んだら思想信条を問わず食客とした。玄洋社の旗は反国家・民権（普選）・自由だった（やがて列強からの脅威を理由に民権から国権に舵切りした)。いずれにせよ「立派な人間」に感染して連帯するのが右翼。立派な人間とは、国民の生存を賭けて動的情報探索と実践に勤しむ自立した者だ。

言わずもがな、クズ＝「言葉の自動機械・法の奴隷・損得マシーン」の対極が、立派な人間＝「言外・法外・損得外でシンクロする存在」だ。イデオロギーや党派を超えてクズと立派な人間を見分けて連帯する。それが真の右翼。イデオロギーや党派に執《こだわ》る「閉ざされ」た主知主義者を否定、立派な人間であれば感染し連帯する主意主義者。それが右翼だ。

だから「右か左かではなく、マトモかクズか」だ。こうした主意主義的な感染と連帯の可能性を支えるリソースを保全するのが保守だ。だから、平時は保守で、非常時に右翼になるのが正しい在り方だ(三島由紀夫)。思考すべきは、主意主義的な感染と連帯を志す立派な人間を生み出す、学び育ちのリソースは何かだ。別の機会に述べたことを反復する。

言外・法外・損得外でシンクロする能力を高めるリソースが大切だ。能力の中身は、凄い人にミメーシスする(感染して摸倣する)力と、無生物や生物や人体からアフォードされる(呼び掛けられる)力からなる。これらには遺伝子的基盤があるが、言語・法・損得計算で蓋をされている。蓋を除去する決定的な契機は、幼少期の危険を伴う外遊びだろう。

ブランコでの立ち飛びや座り飛びに象徴される危険な外遊びでは、果敢な友達の身体性にシンクロして自分もやろうと動機づけられる。失敗して怪我で苦しむ友達の痛みを自分の痛みとして感じながら大人や救急車を呼ぶ過程でも身体的シンクロが生じる。こうした共同身体性が共通感覚の前提になり、この共通感覚が絆に満ちた共同性の共通前提になる。

そうした外遊びの機会は1980年代からの新住民化がもたらしたジェントリフィケーション（環境浄化）で激減した。新住民化した親が子供を勝ち組・負け組コミュニケーションに囲い込むようになった。新住民とは、マニュアル&役割から成るシステム（市場と行政）に専ら依存、善意&内発性からなる生活世界（地域・家族の共同体）を壊す存在だ。

新住民化した親の子供には真の仲間がいない。フィールド調査によると友達が単に知り合いに頽落したのが1996年以降。時期的連関から因果関係はほぼ明白だ。クズ＝「言葉の自動機械・法の奴隷・損得マシーン」にさせないためにはクズ親から子供を奪還する必要がある。因みにその実践を呼び掛けるのが僕の「ウンコのおじさん」ワークショップだ。

10 仲間を前提にしたベイジアンへ

共同身体性に支えられた共通感覚が、中身がある共同性を育み、この共同性が倫理を与え、やがて倫理ゆえに共同体の範囲が想像的に拡張される。「共同身体性→共通感覚→共同性→共同体倫理→普遍的倫理」という前提供給関係を無視して、倫理を実装できない。倫理を実装できなければ、災害でシステム（市場と行政）が故障した時、一巻の終わりだ。

これからは長くコロナと共存する蓋然性が高い。森林開発や北極圏融解でパンデミック頻度も上がり、気候変動で自然災害も増える。他方、国が役立たなければ自治体が、自治体が役立たなければ近隣が、近隣が役立たなければ家族が、家族が役立たなければ自分が頑張るしかない。だがシステム依存が癖になった人間は、自分だけでは殆ど何もできない。

共同体（仲間集団）に埋め込まれるがゆえに知恵を授けられることを含めて助けられ、それゆえに共同体への強い貢献動機を持ち、それゆえに共同体が存続する。かかる循環が共同体と生活世界（共同体から便益調達する界隈）を支える。システム世界（共同体外の市場と行政から便益調達する界隈）への埋没が倫理を脅かし、優れた政治家の出現を阻む。

コロナ禍は、日本政府の劣化だけでなく、日本人の劣化を炙り出した。それがヒラメ厨とキョロメ厨が合体した孤独な安心厨である。彼らは主観的なゼロリスクマニアだ。因みに「安心」という言葉は英語にない。敢えて英語で言えば、“feeling secure”“feeling safe”“feeling easy”という表現になる。「安全 security」と対になる言葉は存在しない。

理由は単純だ。冷静に考えれば「安心」と「安全」が対立するからだ。特に不確実な状況下では「安心」が命取りになる。ところがヒラメ厨とキョロメ厨が合体した安心厨は何かに依存して安心したがる。とりわけ日本人が汎システム化に無防備で、共同体を蔑《ないがし》ろにしがちなのも、「システムに依存できれば安心」という構えへと閉ざされがちだからだ。

日本人には古来「共同体従属規範」があるものの「共同体存続規範」がない。長いものに巻かれつつ共同体を蔑ろにする。だから日本には共同体主義はない。過去の共同体は単なる事実性だ。共同体のレゾンデートル（存在理由）や機能を自ら思考する習慣がないのだ。だから自堕落に共同体を手放してシステムに依存しきる。安心厨ヒステリーの背景だ。

安心厨だらけの日本人に対応するのが安倍政権の出鱈目だ。不安の主観的埋め合わせ——homeostasis of the self——において安心厨とウヨ豚は同質だ。そうした輩が大量に書き込むヤフコメ［YAHOO!ニュースのコメント欄］を毎日役人にブリーフィングさせて右往左往するのが現政権だ。政権維持に固執して国民の安全を蔑ろにする倫理のなさが際立つ。

人は、居住地域も家族構成も違えば、地域や家族の関係性も違う。共同体の空洞化で個人化して以降、人毎に価値も趣味も信仰も健康状態も生活形式もまちまちだ。同じ年収でも何にお金を使うかは人それぞれだ。各人毎に違うパラメーター群を選び、各事象の得失を重み付けし、各事象の予想確率から全体的得失の最適化・許容化を図る戦略が、重要だ。

これが不確実状況下で安心ならぬ安全を図るベイジアン（ベイズ統計）的態度だ。各事象の予想確率（事前確率）や得失の重み付けや許容域は個人毎に違う。事前確率や重み付けや許容域は動的に変わり、規範次第で変わる。事前確率・重み付け・許容域の設定は知識社会化で適切化する。仲間に助けられるがゆえに仲間を助ける動機付けが大切な所以だ。

11 テックと倫理的基盤

「感染者数が、検査数が、各国の対応が、日本政府が…」と全ては間接的情報だ。ウイルスは目に見えない。重症化で苦しむ患者を直接目にするのは医療従事者など一部に限られる。

不安で右往左往する輩を不快がって「コロナ禍は存在しない」とポスト真実化する者がでてくる所以だ。それでいいのか？　そこで問われているのは、倫理の問題である。

倫理には論理的根拠がない。倫理を与えるのは感情の働きという事実性だ。ルソーがpitié（仲間への気遣い）を民主政治の、同時代のスミスがfellow-feeling（仲間意識）やsympathy（同感力）を市場経済の必須要件としたように、倫理的感情の働き抜きには政治も経済も持続できない。アリストテレスが言う通り倫理的感情が風化した社会は善くない。

だから日本人が倫理的でなくなれば「日本は終わる」。クズ＝「言葉の自動機械・法の奴隷・損得マシーン」が溢れ返る今、次世代にルソーやスミスが言う感情の働きを実装する必要がある。愛国を志す者は「日本すげぇ」と寝言を呟くのでなく、我々の感情的劣性をミクロな実践を通じて克服する他ない。「社会という荒野を仲間と生きる戦略」である。

だがコロナ禍を機に人々は仮想現実や拡張現実を含めたサイバー空間に長時間滞在している。ソーシャル・ディスタンスが称揚されて以前のようには一緒に過ごせなくなった。それでも旧世代は、共在できない痛み、キスやハグができない痛みを知る。だが、生まれた時から共在もキスもハグも知らない新世代はそのことが痛みにならない。重大な問題だ。

テック・プラットフォームが変われば僕らの感受性も変わる。50〜100年後には随分変わる筈だ。100年後のプラットフォームに適応した未来人たちは我々の感受性を持たない。我々が100年後のプラットフォームに投げ込まれたら苦しくて仕方なくても、未来人にはそんな我々が不可解だろう。ならば、今は今、未来は未来と割り切っていいのか。

これはSF作家J・G・バラードが1960年代に従来のSFの素朴さを批判して提示した大問題だ。熟慮すれば分かる通り論理的解決は不可能だ。バラードは倫理とは何かを投げかけている。倫理は貫徹を志向する感情だから、今は今、未来は未来はあり得ない。だが素朴であれば時代遅れの烙印を将来免れない。だから倫理を抽象次元で志向する他ない。

サイバーテック化が進むほど世界は「いいとこ取り」が可能になる。なぜこの私を痛みが襲うのかと宗教に縋って解決を図らなくてもいい。心身的苦痛から未規定な世界に向き合う意味論的苦痛（ここはどこ？　私は誰？）に至るまでドラッグとゲーミフィケーションが解決する。だから寄り添うべき筈の痛みの意味が変わる。これが倫理の基盤を掘り崩す。

心身の痛みや未規定性の痛みに苦しむ者がいても、選んだドラッグが悪い、選んだゲームが悪いという扱いになる。既にそうなりつつある。これを「社会の心理学化」と呼ぶ。社会のあり方に問題があるから痛みが生じるのではなく、その人が愚昧で痛みを回避する適切な方法を知らないからだとされる。そこでは宗教もエナジードリンクと同じ扱いをされよう。

こうした事態に対処するのが僕の映画セッションでの実践だ。シネフィルならぬ一般人が参加するセッションで僕は次のような問いを投げる。「快不快は脳内環境の問題。だからクスリとゲーミフィケーションで解決可能。適切なクスリや仮想現実や拡張現実の選択があればいい。適切な選択を促すナッジがあれば全て解決」という意見をどう思うか、と。

大半が違和感を表明する。理由を尋ねると大半が口ごもる。どこかモヤモヤして引っかかるが、違和感を言語化するのは難しい。でも言語化できないとやがて違和感を感じない人が多数派になる。答えは「世界が世界であるとは如何」という哲学的問い（存在論）に関連する。だが哲学雑誌で論議するだけでは無意味。一般人に言葉を実装する必要がある。

初発段階では敢えて違和感の惹起を反復させる実践が必要だと考えて映画セッションをする。伏線として、痛みの原因たる社会を放置したまま痛み止め opium に頼るのは倫理的に許されないとしたマルクスの立場を紹介してきた。かといって医療行為を思えばドラッグやゲームは絶対にダメという立場も維持しがたい事実も紹介する。どこに線を引くのか。

かねて語られてきた言葉が示唆になる。痛み止めは風邪薬同様、対症療法ではあれ根治療法ではない。痛み治療が、問題解決より問題放置に貢献する可能性に気付かねばならない。今日Netflixなどのアーキテクチャを利用しない選択は難しい。重要なのは選択が覆い隠す問題に気付けることと、それに加えてその問題に関わろうとする構えを持つことだ。

12 倫理のコアは実存のシンクロ

倫理は、事実として存在する、許せないという感覚の共同主観性だ。だから倫理は僕たちの生活形式を基盤としてきた。許せないという感覚が、自分一人のものではなく、皆のものであるべきだと理解された時、個人の義務感が社会の倫理に昇格する。だから倫理は単なる義務感ではない。個人の義務感の対立可能性を前提とした貫徹への志向だと言える。

「この感覚はやがて皆が忘れよう」という感覚と倫理は両立しない。細かい部分は別にして「倫理のコア」は変えてはいけないとの強い貫徹志向があって初めて倫理になる。憲法学者ローレンス・レッシグは、合衆国憲法の立憲意思を、建国の父たちが今生きていたら憲法をどう記すかという想像だとする。そこには200年を超える貫徹意思が想定されている。

別言すれば、「許せないという感覚が、自分一人のものではなく、皆のものであるべきだ」という場合の「皆」とは、共時性のみならず通時性の軸を持つ。だが、マイケル・サンデルがアリストテレス『ニコマコス倫理学』を引いて、「倫理で回る社会」から「監視と処罰で回る社会」への変化を憂うるように、社会から倫理が消失することもあり得る。

ギリシャのみならず歴史上繰り返された倫理消失は、「内発性から損得勘定への頽落」だ。サンデルとアリストテレスの憂いは「秩序は強制でなく倫理によって支えられるべきだ」という価値判断の表明で、この表明自体が倫理だ。僕は人間がクズ＝「言葉の自動機械・法の奴隷・損得マシン」に頽落するのを許せないし、皆も許せない筈だと確信する。

社会や共同体や他者に貢献する時、罰を受けずに済むという意味で「得になるから」ではなく、端的に「いいことをしたいから」やる方が圧倒的に善い。アリストテレスが表明したこの貫徹志向は400年を経てイエスにも継承された。イエスは「善きサマリア人の喩え」を通じて、神の罰を避けたいとする「利己的利他」より「端的な利他」が尊いとした。

僕は「それは許せない、皆も許せない筈」との感情を持つ者がまだ社会に残っているという事実性を当てにしつつ、尻すぼみになりがちな「それは許せない、皆も許せない筈」という感情をより大きな範囲で、こうすれば取り戻せるのでは、ああすれば取り戻せるのでは、という所から、倫理＝許せないという感覚の共同主観性の、回復を企図してきた。

先に「倫理のコア」と述べた。米国人の一部は200年以上前の建国の父の倫理を理解できると確信する。クリスチャンである僕は2000年以上前のイエスの言葉を理解できると確信する。200年以上前と今の米国では社会的文脈が違う。2000年以上前のシナイ半島と今の日本では尚更だ。なのに確信できる。そこから我々は倫理の基礎的条件を考え得る。

イエスが故郷を離れて活動したのは32歳前後。期間にして2年ほどだと言われている。たったそれだけで世界を変えた。イエスの教説から生まれたキリスト教がなければ近代も生まれなかった。だが重要なのは、僕らの誰一人としてイエスの言葉を直接に聞けないということだ。なのに人はイエスの言葉が分かると思う。この謎が解釈学という学問を駆動した。

四福音書のうち、自らの思想をイエスに託したヨハネ福音書を除く3福音書には重なる記述が多いので共観福音書と呼ばれる。どれもイエス言行録だが、「イエスはこう言った」という記述は所詮「私はこう聞いた」に過ぎず、真に受けられない。そう看破したのが田川建三『イエスという男』だ。僕は高校生の時に読んでとても大きな影響を受けた。

田川は歴史学の手法でイエスの足跡を緻密に考証、共観福音書に共通する記述のシニフィエ（指示対象）を明らかにしようとした。イエスが行く先々で人々の痛みに寄り添った事実はよく知られる。だが福音書執筆者たちも後年の聖職者たちも「痛みに寄り添う」イエスの実践を自分たちに想像できる範囲でしか理解していない。それが田川は不満だった。

イエスが寄り添う痛みが想像を絶するものだったことが、歴史的考証を経て初めて浮かび上がる――田川の史的イエス論のモチーフだ。弱者に寄り添うだけで反体制だと見なされた時代になされた激烈な痛みへの寄り添い。そこから「イエスという男」がどんな存在だったかが浮かび上がる。信じる／信じない以前に、誰もが凄さに感染する他ない……。

「倫理のコア」とはこの「感染の源泉」のことだ。こう抽象化すれば、倫理がなぜ時間的耐用性を持つのか理解できる。モーセがシナイ山で神から授かった十戒も、イエスが弟子たちになした山上の垂訓も、当時のユダヤ的生活形式を前提とし、現代の生活形式とは全く違う。違いを無視して字義通りに受け止めれば、大半の人は生活に支障をきたす。

重要なのは「感染の源泉」に実存的にシンクロすることだ。その時「倫理のコア」が浮かび上がる。倫理は抗議の具体的外形よりももっと抽象度の高い何かで「今イエスが生きていたら何をするか」に関わる。ゆえに、現代は生活形式がイエスの頃から変化していても、人はイエスに感染する。この種の感染を未来のサイバー世代に受け渡せるかどうかだ。

13 コロナ禍は共同身体性を問う

倫理とは許せないという感覚の共同主観性だと述べた。自分だけがそう感じているのではないと思えるには共通感覚への信頼が必要だ。それがなければ社会から「倫理のコア」が消える。その意味でサイバー世代への倫理の受け渡しは難しい。インターネット化の本格化以降の25年間で「こだわり」と「イタイ」という言葉が拡がったのが困難を象徴する。

これは各人のイイトコドリを背景とした、感覚の共同性の分断現象を示す。感覚の共同性が分断された状況下での「自分はこれがいいと思う」という発話が、「こだわり」という言葉で表現されるようになった。他方で、「イタイ」という言葉は過剰さを忌避する際に使われるようになった。分断されているがゆえに過剰さが忌避されるようになった。

そこから引き出せる教訓は何か。音楽であれ演劇であれ料理であれ、共通感覚やベースとなる共同身体性を欠く状態では、幾ら一生懸命やろうが、思わずやってみたくなるミメーシスは生じないということだ。逆算すれば、ミメーシスが容易に生じる条件を如何に回復させるかが戦略的に重要となる。もう1つ、既に述べたアフォーダンスも大切になる。

負担免除としての熟練的自動化としての技術 technic は、弓矢で獲物を射る類の技芸 technique から、押しボタンでミサイルを発射できるようなテクノロジー technology に展開した。テクノロジーと違って技芸は可視的なので、人から心身への呼び掛けとしてのミメーシスと、モノから心身への呼び掛けとしてのアフォーダンスが、中動態を発動させる。

見落とされがちなアフォーダンスの事例を話す。コロナの外出自粛要請で子供が外遊びしなくなった。虫好きだった6歳の息子も姉たちと自宅でゲーム機で遊んでばかりいる。「散歩しようよ」「面倒くさ〜い」「あんなに虫好きだったのに」「1年前の話よ」と、箸にも棒にもかからない。一計を案じて、虫のたくさんいる場所に騙して連れていった。

すると無我夢中でイナゴやクモを捕まえている。「やっぱ虫取り好きじゃん」「いや別にそうじゃなくて、虫がいると体が自然に取っちゃうんだよー」。虫を取る気もないのに虫からのアフォードに屈したのだ。アフォードするとはモノが人に行為を〝与える〟という意味だが、ギブスン流の生態心理学が言う「環境によるアフォーダンス」が生じていた。

遺伝子的基盤を持つ普遍的事象だ。人は損得勘定から行為を主体的に〝選択〟する限り、人から呼び掛けられたミメーシスも、モノから呼び掛けられるアフォーダンスもない。気がつけばやっていたという能動でも受動でもない中動態が核だ。それが環境倫理学者キャリコットが言う「生物も無生物も含めた場が与える共同体的 communal な感覚」に当たる。

セックスを思えば分かるが、人はモノからだけでなく、他者の表情や姿勢や体温によってもアフォードされる。実際、どうセックスすべきか考える状態では、どう虫を捕るべきかを考える状態と同じで、失敗する。相手は満足しない。考える状態から生まれるのは能動としてのコントロールだが、アフォーダンスから生まれるのが中動態のフュージョンだ。

過去20年間、男女を問わず性的退却が進行中だ。大学生女子の性体験率は2000年前後から半減、男子は3分の2に落ちた。理由の1つはアフォーダンスの不在による相互不満足だと推測できる。アフォーダンスは技芸同様、習得的なものを含めた資質に依存する。子供の頃の危険な外遊び等によるアフォーダンス体験の不在が共同身体性を失わせたのだ。

14 読者が問われていること

総括しよう。人のクズ化＝「言葉の自動機械・法の奴隷・損得マシーン」化と、社会のクソ化＝「言外・法外・損得外の消去」が、倫理的存在の枯渇を通じて、社会の機能不全をもたらす。倫理の基盤は、許せないという感覚の共同主観性で、「言外・法外・損得外のシンクロ」を前提とする。「言外・法外・損得外のシンクロ」の能力が失なわれてきた。

シンクロ能力の本体は、人から呼び掛けられるミメーシス（感染）と、モノないし人の身体から呼び掛けられるアフォーダンスだ。共に能動受動ならぬ中動の態勢、つまりコントロールならぬフュージョンだが、包括して共同身体性と呼ぶ。共同身体性が与える共通感覚が言葉の分厚い共通前提を与えてコミューナリティ（共同性・仲間性）を可能にする。

コロナ禍によるテック化は、現在の流れを見る限り、コミューナリティを支える共通感覚・を育む共同身体性・を育む身体的にトゥギャザーである機会を、子供たちから奪う。この流れは汎システム化が進んだ１９８０年代から顕在化し、インターネットが普及した90年代から加速してきた。それをコロナ禍が急加速化した。ただしそれには良い面もある。

コロナ禍による急加速化で茹で蛙にならずに問題に気付ける。現にこの原稿を読む機会が読者に与えられた。ここに書いたことはかねて祝祭の消滅とそれに続く性愛の退却をもたらした背景として記してきた。問題は以前から存在したのだ。「共同身体性→共通感覚→共同体的共通前提」という経路を回復、汎システム化に抗う倫理の橋頭堡を築くべきだ。

最後に問う。システムの機能不全でおろおろ右顧左眄する人間と、やるべきことはやっているから仲間と楽しく生きようとする確かさに満ちた人間と、どちらと仲間や恋人になりたいだろう？　子供たちにとってどちらが格好いいだろう？　読者であるあなた自身はどちら側の人間だろう？　普通の人が問わない問題を、敢えて僕が問う意味は明らかだろう。

（2020・7・8）

コロナ・ピューリタニズムの懸念

斎藤環
（精神医学）

1 コロナと「原罪」

疫病は倫理観を書き換える。14世紀にヨーロッパの人口の約30％（地域によっては80％）を死亡せしめたペスト（黒死病）は人々の死生観に影響を及ぼし、「メメント・モリ（死を思え）」なる標語を生んだ。一方、18世紀におけるイギリスでのペストの流行は、故郷に疎開して思索に集中できたアイザック・ニュートンに万有引力の着想をはじめとする「三大業績」をもたらした。15世紀から16世紀初頭にかけて急速にヨーロッパに広まった梅毒は、イギリス人の意識と社会的身ぶりとを変え、ピューリタニズムをもたらしたという説がある。

20世紀末から流行したＨＩＶは、当初は罹患者の特徴から、同性愛やドラッグカルチャーに対する神罰、といったニュアンスでとらえられた。粘膜を介しての血液の交換が危険であると理解されてからは、避妊のためではなく、いわば「粘膜への禁欲」としてコンドームの使用が大々的に推奨された。

そして現在、新型コロナウイルス（SARS-CoV-2）のパンデミックが進行中である。4月19日の時点で、死者数は全世界で16万人を超えた。いまだ特効薬もワクチンもあてにできない未曾有の状況下で、全世界はひたすら息を潜めて死者の数を数え、フェイク混じりの報道に一喜一憂し、ことのなりゆきを注視している。医療現場は疲弊し崩壊しつつある。近い将来、抗ウイルス薬かワクチンが製造されるのか。あるいはさらに膨大な死者をもたらした後に集団免疫が確立されるのか。感染症である以上、いずれは終息することは間違いない。ただその時期が、半年後なのか1年後なのか、あるいはもっと先なのか、その予測はまったく立てられない。

COVID-19はおよそ「凶悪な敵」の顔をしていなかった。ウイルスとしてもインフルエンザより少し感染力が強い程度、と言われていた（最近になってWHOは「致死率はインフルエンザの10倍」と発表している）。二次感染ではなく直接肺炎を起こすという点では恐ろしい面もあるが、8割以上の感染者は回復する。最大の問題は、不顕性感染の多さだ。

感染しても無症状のものが多く、潜伏期間も長いため、感染に気づかずウイルスをばらまく人が大量に存在する。やむを得ない事情があったとはいえ、検査が十分になされないこともあって、感染の広がりも正確には把握できない。このため、潜在的にはすべての人が感染している可能性を持つ。

この時代に求められる適切なマナーとはなにか。「あなた自身がすでに感染している前提でふるまいなさい」である。私の記憶では、このアドバイスが最初に現れたのは、2020年3月12日に配信された「BBC Newsnight」の動画“Coronavirus : Can herd immunity protect the population?”におけるGraham Medley（ロンドン大学衛生熱帯医学大学院教授）の発言だった。行動変容を促すアドバイスとしてはまったく正しい。私も彼の動画をリツイートした。

その一方で、こうも考えた。この教えはまるで「原罪」意識の示唆に似てはいないか？　原罪とはキリスト教においては、アダムが神に背いた結果、全人類がそれを継承することになった罪のことである。自身が罪を犯した（感染した）という事実の有無にかかわらず、自身には罪があるという前提で考え、ふるまうことが社会的に要求される疾患は、これが最初のものではないだろうか？　あるいは20世紀初頭のスペイン風邪も、人々の同様の意識を喚起したのだろうか？

2 ウイルスと人間

そもそもウイルスそのものが、原罪的な位置付けを持つ「存在」だ。神戸大学の中屋敷均によれば、ヒトゲノムには「たくさんのウイルスが入り込んで」いるのだという。言い換えるなら人間のゲノムは、単独の自己として進化したと言うよりも、ウイルスのような外部からの侵入者も取り入れて進化してきたのだという。人間の進化とウイルス感染は切っても切れないつながりがあるというわけだ。

どういうことだろうか。ヒトゲノムを解読したところ、逆転写酵素をもつレトロウイルス由来のＬＴＲ（Long terminal repeat）型レトロトランスポゾンと呼ばれる領域があり、それがゲノム全体の約10％を占めていた。この中にレトロウイルスがゲノムの一部となった古代ウイルスの名残り（内在性レトロウイルス：ＥＲＶ）が存在する。このＥＲＶが、人間の胎盤形成に深く関わっていることがわかっている。胎盤は、母体と胎児をつなぐ臓器だ。不思議に思ったことはないだろうか。なぜ母体は異物としての胎児に対して免疫反応を起こさないのか。実はヒトの胎盤には「合胞体栄養膜細胞」という細胞が融合してできた組織があり、これが胎児の血管と母親の血管を隔てている。この膜が、胎児に必要な栄養だけを通過させ、母親からのリンパ球の侵入を防ぐため、胎児は免疫系からの攻撃を受けずに済んでいる。ＥＲＶはこのほかにも細胞の多能性の維持に関わるなど、多くの役割を担っていることが知られている（山内一也『ウイルスの意味論』みすず書房）。このように内在性のウイルスは、胎児の生存を助けるという、人間存在に必要不可欠な機能を担っているのである。

さらに言えば、ウイルスの強毒化のような変異をもたらすのもまた人間である。抗ウイルス薬が開発されるたびに、それに耐性を持つウイルスが出現する。あるいはエボラ出血熱のウイルスのように、本来の自然宿主はコウモリで、もともと熱帯雨林の中で静かに維持されていたものが、開発が進む中でヒトという本来の宿主ではない生物に感染して重篤化した例もある。COVID-19も武漢の海鮮市場が発生源と推定されているが、食用もしくは漢方薬の原料として数多くの動物が市場にひしめいており、ウイルスがある動物から別の種類の動物にうつったさいにその動物を「増幅動物」として増殖し、市場で人に感染した可能性が疑われている。つまり人間の文明を媒介として、ウイルスの脅威が増幅された、という側面があるのだ。

ウイルスなくして人間はなく、人間なくしてウイルスはない。この関係性は、人間と「原罪」の関係と相似形をなしてはいないだろうか。そうだとすれば、原罪がそうであるように、ウイルス感染もまた、われわれの倫理的な基盤となる可能性を考えるべきではないだろうか？

3 CPから自粛警察へ

COVID-19のパンデミックが続く中で、われわれは先述した「原罪」意識に基づいた、奇妙な倫理観を獲得しつつあるのではないだろうか。仮にそれを「コロナ・ピューリタニズム（以下CP）」と呼んでおこう。

ピューリタンとはイングランドのカルヴァン派の呼称だが、カルヴァン（1509-64）自身はフランス生まれで、ジュネーヴで宗教改革を行った。その思想はルターを継承したものだが、カルヴァンは信仰を内面だけの問題とはせず、人々の生活をことごとく神意や聖書に従属させる神政政治を展開した。カルヴァン派の信者は、キリスト者の務めとして禁欲的な生活を要求され、飲酒・ダンス・トランプ・姦淫などは禁止され、違反者は厳しく罰せられた。私にはパンデミック下の人々の行動変容は、まさに原罪意識と禁欲に方向付けられているように思われた。それゆえCPという呼称は、あながち的外れではないと考えている。

4月16日に全国に緊急事態宣言が発出され、すべての人々はさまざまな活動を8割程度自粛するよう要請されている。不要不急の外出は控え、経済活動も控え目にして、おとなしく自宅にひきこもって疫病が終息するのを待ちなさい、と。この要請には疫学的な根拠があり、ほぼ反論の余地はないとみなされている。個人の命を守り、社会をウイルスから守りたければ、一人一人がこの要請を受け容れ、公共のために協力するほかはない。

問題があるとすれば、この要請が、純粋に医学的なものであるにもかかわらず、きわめて倫理的要請に似て見えるという点だ。私たちは今、医学や科学の名において、かつてない規模と程度で倫理的にふるまうことを強く求められているのではないだろうか。

なぜ外出が好ましくないのか。人々の交流が感染の確率を高めるからだ。すべての人々は潜在的な感染者として交流を禁じられることになる。それは全人類が原罪を抱えているという想定のもとで神の恩寵が要請されるキリスト教の教義を連想させる。その結果、外出が、外勤が、外食が、旅行が、交際が、ことごとく「罪」のニュアンスを帯びてしまう。いずれかの禁を破って感染した者は、おのれの原罪を否認した咎《とが》によって、批判の矢面に立たされる。

この混同が何をもたらしたか。いわゆる「自粛警察」である。日本では都市を封鎖するようなロックダウンは法的に不可能であり、政府や自治体が人々に外出の自粛を、店舗などには閉店や活動の自粛を要請した。要請であり強制ではなく、もちろん罰則もない。そのぶん、補償も十分とは言えなかったが、ほぼすべての人々が、この要請を粛々と受けいれた。市街地から人の姿が消え、ＳＮＳでは屋外の写真が激減した。社会は整然とロックダウンモードに移行したが、自粛要請以降、この要請に応じていない人や店などに対する嫌がらせ行為も相次いだ。

公園で子どもが遊んでいると大声で罵倒され、通報されることすらあった。開店している店はＳＮＳで叩かれ、シャッターに嫌がらせや誹謗中傷の紙を貼られた。自粛期間中に旅行したことが発覚したタレントは、犯罪者であるかのように叩かれ、謝罪を余儀なくされた。地域によっては県外ナンバーの車が傷をつけられ、あおり運転をされるなどの被害が相次ぎ、自衛のために「県内在住者です」と書かれたステッカーが販売される事態となった。

この延長線上に「医療者差別」もあった。感染症病棟に勤務する看護師の子どもが保育園からの受け容れを拒否されるといったエピソードがあり、同じ病院内でもコロナ病棟の医師や看護師が病院の共用部分に立ち入ることをやめてほしいと声の上がった医療機関もあるやに聞いた。ある地域ではホテルが軽症患者の隔離を受け容れると聞いた地域住民から反対の声が上がった。

不運にも新型コロナウイルスに感染してしまった芸能人やスポーツ選手らは、きまって謝罪のコメントを出した。この奇妙な慣習を、人々は少しも奇異に思わずに、当然のこととして受けとめた。すでに感染することは恥であり、悪であり、「社会に迷惑をかける」行為ですらあったのだ。

こうしたことは、感染回避こそが単なる「予防」を超えた「正義」であると錯覚されたからこそ起きたのではなかったか。自身の側に正義があると確信したとき、こうした暴走は最も起きやすくなる。過去にもそうした事例はいくつもある。古くは明治維新後の廃仏毀釈がある。これは、新政権が出した太政官布告「神仏分離令」を発端として、全国でおびただしい数の仏像や寺院が破壊された民間運動であった。あるいは第二次大戦中の「敵性語（主に英語）」排斥運動も、民間主導だった。規範に従順で協調性に長けた日本人は、ひとたび錦の御旗を手中にすると、徹底した破壊活動をも辞さない攻撃性を秘めている。その意味で自粛警察の暴走ぶりは、人々がいかに感染回避を正義と混同していたかを如実に示す出来事だった。

このような事態の延長線上に、回復者差別がある。

4月1日付のロイター通信によれば、韓国在住のパク・ヒュンさんは新型コロナウイルスに感染し、特別病棟で九日、隔離施設で14日を過ごし、体力回復にさらに10日を費やして、検査でも2回陰性になったにもかかわらず「新型コロナの生存者」という烙印を押され、いまだに同僚や周囲の人々から避けられているという。日本でも同様の経験を語る回復者の報道があった。回復者差別の根拠は、もちろん感染を恐れてのことだろうが、果たしてそれだけだろうか。そこにはひょっとすると「感染という悪に染まった人間」への非難がこめられてはいないだろうか。

4 ひきこもることの倫理

CPの倫理性はもう一つ、その禁欲性にある。それはほとんど「晴耕雨読」の勧めと言っても過言ではない。自粛要請期間中、われわれはかつてないほど禁欲的になった。できるだけ他人と交わらず、一人耕作（テレワーク）にはげみ、勤務時間外は読書などに勤しむ。足ることを知り、天地を恨まず、身の丈以上の浪費や蓄財もつつしむ。ネットでの娯楽は辛うじて許容されるが、劇場やコンサート会場に出かけることは禁じられている。事実上の歌舞音曲の禁止である。飲酒は禁じられてはいないが、長期のひきこもり生活がアルコール依存症につながりやすく、Ｚｏｏｍ飲みはさらにハイリスクであると繰り返し警告されている。喫煙に至ってはコロナの致死率を高める危険があるという理由でほぼ禁止に近い。

「コロナうつ」などという俗称が人口に膾炙しはじめているが、長期のひきこもり生活はうつ病発症のリスクが指摘されており、その予防策として「規則正しい生活」「日光を浴びる」「十分な睡眠とバランスの取れた食習慣」「適度な運動」が推奨されている。まったく正しい。そして残念ながら、正しいことはまことに味気ない。

かくして私の専門としてきた「ひきこもり」こそが、CPのもとでは最強のライフスタイルとなった。冗談ではなく、私は日本でCOVID-19の感染の広がりが比較的遅かったのは、推計200万人に及ぶ人々がひきこもり状態にあることが主因の一つと考えている。彼らに対する偏見は、いまこそ修正されなければならない。ひきこもって生き延びるだけで価値が生み出されることがはっきりしたのだから。もっとも、予期に反してひきこもりの当事者は、コロナどこ吹く風とばかりに淡々と日常を送っている。不安を訴えるものは決して多くない。時折耳にするのは「普段家にいない父親がずっと在宅することのストレス」だったりする。

ならば、ひきこもりは倫理的な生活なのだろうか。ここで私が連想するのは山形孝夫『砂漠の修道院』（平凡社ライブラリー）である。エジプト総人口の1割を占めるというコプト教（キリスト教の一宗派）の修道士は、あらゆる文明を拒否し、一人で不毛の砂漠に分け入り、あるものは、自分ひとりのための洞窟を穿ち、人とのつながりをすべて断ち切って死んでいくという。彼らがそれを神に近づくための唯一の道であると信じている以上、「ひきこもり＝倫理」という発想は荒唐無稽と否定し去れるものではない。

もっとも、コプト教に限らず、宗教は突き詰めれば孤立につながりがちだ。17歳から比叡山に25年間こもって修行した法然上人、砂漠にこもって苦行生活を続けた聖アントニウスなどの例がある。基本的に修行は俗世間との関係を断ってなされることが多く、この点からもひきこもり生活に倫理的側面があることは否定できない。

5「親密さ」の禁欲

CPがもたらしたまったく新しい〝倫理観〟は「他者に触れてはならない」である。この言葉もまた、復活したキリストがマグダラのマリアに告げたという「われに触れるなNoli me tangere」を連想させる。他人の身体との接触の禁止。これはHIV流行時の、粘膜に関する禁欲主義よりもはるかに厳格で徹底している。日常的な挨拶（ハグやキスを含む）や、ことによると対話ですらも、「体液（エアロゾル）の交換」であることが判明したためだ。われわれは、体液の交換を伴うであろう一切の接触を禁止されている。

つまり、ここに至って「親密さ」は、体液の交換として再定義されたのだ。もちろん、他人と〝知り合う〟ことはいささかも禁止されていない。ネット上で知り合いたければ、それはいくらでもどうぞ。しかし、オンライン上ではある程度以上の親密な関係性は築かれないだろう。親密な関係は、その人に身体的に寄り添い、声や表情を交換することなくしては構築が難しいからだ。そして、寄り添いも対話も、そのままエアロゾルという体液の交換にほかならないのだ。

エアロゾルの飛散と交換を防ぐマスクによって、表情による感情の交換すらもほぼ不可能となった。「社会的距離」という流行語も、親密さの禁欲として拡散しつつある。日本ではさらにわかりやすく「三密の禁止」という形をとってはいるが、三密もまた親密さを醸成するうえでは欠くべからざる要素ではなかったか。

そうした距離感が、私自身にもインストールされていることに気づいたのは、いつのことだっただろう。自粛期間中でも食材を買い出しにスーパーに行く。近所のスーパーは、ひきこもりに飽きた家族連れでいつも混雑している。普通に買い物をしているだけでも、多くの人とすれ違う。そんな時に、十分な距離を取らずに接近してくる人がいると、微かな苛立ちを覚えてしまう。CPの蔓延を懸念しつつも、自身の不寛容さに驚かされる。ああ、この感覚の延長線上に自粛警察があったのだ、と思いいたる。

そんなおり、たまたま4K放送でやっていた映画「ブレードランナー」を観た。20代の頃、何度も繰り返し観たSF映画の金字塔だ。高層ビルの谷間に屋台がひしめくあの映像は、ブレランン以降のSF作品の未来イメージに決定的な影響を及ぼした。われながら驚いたのは、あの未来世界が魅力的である以上に、「不潔」に見えてしまったことだった。そう、スラムとハイパーテクノロジーが同居する、サイバーパンクな未来はもう来ない。理由は単に「不潔」だから。ウイルスとの共存を選ぶほかはない以上、SFの未来イメージも大幅な変質を強いられるほかはないだろう。

当然のことながら、親密さの抑圧は恋愛の不可能性にもつながるだろう。三密を禁じられ、社交距離を測定される環境下では、新しい恋愛の実践は実質的に不可能だ。性愛は夫婦か同居するパートナーのみに許されたものになるだろう（それすらも危険という指摘もある）。性愛においても、われわれはかつてないほど高度な禁欲を〈自ら進んで〉強いられている。「濃厚接触」という通常なら性愛を連想させずにはおかない言葉も、定義上は例えば「手で触れることの出来る距離（目安として1メートル）で、必要な感染予防策なしで、『患者（確定例）』と15分以上の接触があった者」までを含むということになり、そうであるなら身体に直接触れるなどもってのほか、ということになりかねない。

ましていわゆる風俗産業をはじめとする性的サービスは、クラスターの発生源として完全に駆逐されようとしている。感染と世間体を恐れる客はコロナ禍の終焉まで禁欲し、AVの無料ストリーミングサービスなどを活用して自身で処理しようとするだろう。あらゆる身体接触が禁止され、バーチャル・セックスが流行する社会を描いた映画「デモリションマン」を思わせるディストピアが、一時的にせよ現前しつつある。

こうしたCPの風潮に絶望し、うんざりしたあなたには、しかし自暴自棄になることすら許されていない。あなたがやけを起こして感染すれば、それはただちにあなたの家族、友人、隣人といった親密圏の人々をリスクにさらすことになるからだ。韓国では自粛に疲れた人々が「もうどうにでもなれ族」と化して花見に繰り出したという。あるいは死者がついに12万人超に至った米国では、外出制限への抗議デモ（三密！）が続発している。このきわめて「人間的」なニュースを少しでも批判的に聞いた人は、「自暴自棄は罪」という新しい倫理観を獲得していることになる。そう、まるで集団免疫を獲得するように。

6 CPとコロナ・イデオロギー

COVID-19のパンデミックは、いつかは終息する。それは間違いない。その後に何が来るだろうか。確実に言えることは、「親密さ」の禁欲がただちに解除され、祝祭的な反動が訪れるであろうことだ。

その予兆はすでにある。2020年5月から全世界に急速に広がったBlack Lives Matter運動がそれだ。もちろんその運動の正当性は疑うべくもない。しかし、あれほど速く、あれほど広範囲に運動が広がった背景にあるのは、人類の覚醒などではなく、長期化したひきこもり生活への反発やうんざり感であったことは確実だろう。運動の趣旨には全面的に賛同しつつも、どこか「便乗」的なニュアンスを感じてしまったのはそのためもあるだろう。

反動はともかく、その後にいくつかの後遺症を遺しつつも、徐々に「経済」と「社会」が、そして「日常」が回復されていくだろう。むしろそうあらねばならない。

100年前のスペイン風邪がそうだったように、2020年のコロナ禍も、恐らくは忘却されていくだろう。パンデミックには日付がなく、グラウンド・ゼロもない。つまり、震災や天災のような形での社会的外傷を遺しにくい。だから私の念頭にあるのは、現在のパンデミック下で獲得されたCPの意識が、無意識に未来に継承されてしまうことへの懸念である。

いまや「他者」は、単なる外部の存在、異質な存在であることのみを意味しない。他者は「疫学的他者」となった。疫学的他者とは何か。一般に手術室では、人体は無条件に「不潔」であり、人の素手が触れたものはことごとく「汚染」されたとみなされる。これにきわめて近い清潔意識が一時的にせよ普及したのだ。社会的距離の感覚と相まって、他者の「不潔」性の感覚が、われわれの身体にインストールされた。パンデミックそのものは忘却されても、そうした身体感覚が部分的にせよ残るとしたらどうだろう。

CPには、しかし確実に保健や治安に寄与する面があり（すでに犯罪率は減少傾向というデータがある）、ひきつづき倫理観として機能し続ける懸念がある。ある種の業務はテレワークのほうがはるかに効率化されることに人々が気付きはじめれば、CPは資本主義にすら貢献するだろう。ここで誰もが連想するのは、プロテスタンティズムの禁欲性が資本主義を発展させたとするマックス・ヴェーバーの所説であろう。禁欲的プロテスタンティズム（ピューリタニズム！）が篤い地域ほど、資本主義がより高度に発達した事実から、ヴェーバーは禁欲性と資本主義のエートスの逆説的ともみえる親和性を読み取っていく。

ヴェーバーが重視したのはカルヴァン派の予定説だった。どう生きようと救済されるものは予《あらかじ》め決まっているという考えは、人々を自堕落にするのではなく、むしろ勤勉にしたというのだ。なぜなら人々は、「神に救われるように予め定められた人間は、禁欲的に天命（Beruf＝職業）を務めて成功するはずである」と考えたからだ。つまり禁欲的に仕事に励むことは、自分こそ救済されるべき選ばれた人間であるという証を得ることにつながる。かくして人々は懸命に働き、得られた収入をさらなる仕事のために投資した。ここから資本主義のエートスが生まれたのである。

ならばＣＰは何をもたらすだろうか。私の見聞した範囲では、少なくとも自閉症スペクトラム障がい（ＡＳＤ）圏に近い認知特性を持った人々にとって、ＣＰは快適な社会環境を提供した。他者と接する必要がなく、社会参加よりもひきこもりが推奨され、オンライン環境があれば仕事も消費も十分に可能となる。ＡＳＤと診断されていなくても、そうした世界のほうが快適で生産性も上がるという人が一定数存在するということ。

後述する通り、ＣＰには本来のピューリタニズムに備わっているような超越性は欠けている。しかし、そうした曖昧な超越性が欠けているぶんだけ、明確な行動指針を与えてくれもするだろう。ＣＰという新たなエートスが、少なくない人々を救済し、彼らに居場所を与え、その生産性を向上させうるとすれば、果たして我々はＣＰを否定しうるのだろうか。

実はこうした、対象を限定したＣＰの適用は、すでに倫理性とは無関係であるという意味において有意義である。問題はやはり、ＣＰが倫理性、あるいは価値規範として継承されてしまうことだろう。

「with コロナ」という言葉を創案した安宅《あたか》和人《かずと》は、これからの社会が人口を密集させることで効率的で快適な都市空間を作り出す方向から一転して、社会的距離とリモートワーク、開放性と非接触性を重視する「開疎化」へ向かうべきであると主張する。これは都市から地方へという動きも加速し、東京一極集中を緩和することも期待されるため、安宅の論は大きな注目を集めた。

　今回のコロナ禍から一気にその流れが生ずるかと言えば疑問もあるが、「with コロナ」を巡る議論は、ＣＰ的な価値規範に基づいて社会のインフラを再構築し、社会全体の生産性を維持または増進しようという点では、ＣＰ的資本主義とみなすことも可能だ。安宅がそう言っているわけではないが、この価値観の延長線上には一種のネット万能主義のような思想が見え隠れする。

　こうした傾向を批判するのは哲学者の東浩紀だ。

「この数ヶ月で、世界は急速にそのネット万能主義に支配されてしまった。仕事はテレワークでいい、教育はオンラインでいい、友だちつきあいはＳＮＳでいいし、買物も食事も宅配でいい、要はZoomとAmazonとUber Eatsさえあれば身体の触れ合いがなくても問題ないと、世界中のひとが認めてしまった。そして移動の自由も集会の自由も放棄し、みな家のなかに引きこもってしまった。その動きに対する知識人の反発も、これまた驚くほど少ない」(「観光客の哲学の余白に(20)コロナ・イデオロギーのなかのゲンロン」https://genron-alpha.com/gb048_01_2/)。

東はこうしたネット万能主義を「コロナ・イデオロギー」と批判的に命名した。なぜなら「情報の交換だけでは人間はダメになる、哲学や芸術を理解するためには情報の『外』との触れ合いが必要」であるからだ。

つまり、価値規範として定着しつつあるCPは、それを思想的に正当化してくれる「コロナ・イデオロギー」と結びつくことで、いっそうこの社会に深く根を下ろし、強力に機能し続ける可能性があるのだ。

こうした状況がもたらす副作用はほかにもある。

たとえば「身体接触」ならびに「親密さ」のタブー化は、なかば必然的に監視の強化につながった。韓国の保健当局は、国民の個人情報を詳細に把握しており、感染者が出た場合にどこにいたか、誰と会ったかを直ちに把握しスマホなどを通じて情報を拡散する「監視社会」を作り出した。安全とプライヴァシーの交換においては、ためらいの介入する余地はほとんどなかっただろう。

パンデミックの緊急事態下では「生権力」が最大化する。日本ではこれほどの徹底は困難だろうが、それでも感染追跡アプリなどを用いて感染者の行動把握を強化する動きがはじまっている。こうした生活環境に馴致されていく中で、CPがパノプティコン以上に強力な自己監視と自己統制のルールとして内面化されてしまう恐れはないだろうか。一切の超越性と教養を欠き、エビデンスとルールのみで構成された倫理が人々の内面まで支配してしまうこと。不健康は悪であるという思想が隅々まで行き渡り、病気であることは悪でありうしろめたいこととみなされてしまう社会。やはりそれはディストピアと呼ばれるべきではないだろうか。

7 おわりに

それではわれわれは、CPとどのように対峙すべきなのだろうか。

私の答えはシンプルである。パンデミックの教訓は、次のパンデミックのためにとっておこう。CPは、緊急事態宣言やロックダウンと同様に、非常事態をしのぐためのルールでしかない。このタブーは平時には「有害」である。それは対話を、関係を、そして物語を毀損するからだ。たとえあなたがCP的世界を意外なほど快適であると感じていたとしても、CPそのものはポストコロナの日常においては有害な価値規範となりうる。よってコロナ禍の終息宣言が出されたら、CP的な発想も緊急避難セットの箱にしまい込んでおくべきなのだ。

終息宣言を迎えたら、何をおいても、もう一度マスクを外し、主体的に、エアロゾルとともに、3つの「密」を回復しよう。それは対話と関係と物語を、つまり人間と社会を修復することを意味するだろう。これらはわれわれが想定していた以上に、社会を構成する基本的な条件だったのだ。その理由については別の場所で詳しく論じた（「人は人と出会うべきなのか」https://note.com/tamakisaito/n/n23fc9a4fefec）。

ただし、そう言ったからといって、これはCP的な価値観や「コロナ・イデオロギー」について、すべてを完全に忘却すべきである、という意味ではない。先述した通り、そうした価値観を享受し、その世界が少しでも長く続くことを願っていた少なからぬ人々の存在がある。だから私たちは、もはや親密さに基づいた対話や関係を、それのみが自明で自然なことであるかのように思い出したり回復したりすべきではない。そうした人々の存在は、私たちに「多様性」の新たな意味を教えてくれるだろう。ここには新しい「ノーマライゼーション」の契機がある。それはたとえば、対面とリモートをハイブリッドに組み合わせた、柔軟な教育や就労のスタイルをもたらすかもしれない。あるいはリアルに人と会うこと（私の言葉では「臨場性」）の価値を、かつてないほど高い精細度の視点で検証し直すことにつながるのかもしれない。

だからこそ、日常生活の修復とともに、慎重な検証作業が進められなければならない。コロナ禍にあって、人々の心性や行動がどのように変容したか。そこからいかなる価値観が生まれたか。どのような判断や価値観が、感染拡大において抑止効果を持ち得たか。その価値観のうち、何が問題を拡大し、何が当座しのぎであり、何が普遍的なものであったか。そこから人々や世界は何を学び、社会はどのように変容したか。

私の考えでは、コロナ終息後の世界は「ポストコロナ」と呼ばれるべきではない。とはいえ「with コロナ」という苛烈な意識をどこまで維持できるものだろうか。ウイルスと共存するほかはないわれわれの宿命として、今後もパンデミックの反復は避けられないだろう。だとすればその世界は、仮に「インターコロナ」と呼ばれるべきではないだろうか。「次回」が今回の第二波にあたるのか、次のパンデミックになるのかはまだわからない。しかしその時までに、われわれは検証によって得た知恵を武器として、もう少し賢明にウイルスと対峙できるのかもしれない。

（2020・6・24）

II

コロナ時代の新・課題

コロナショックドクトリンがもたらす円高帝国

松尾匡（経済学）

1　消費税10%がもたらす衰退した世界

消費税が10%に引き上げられたことで、個人商店や中小の事業者はただでさえ厳しい状況に追い込まれたというのに、この度のコロナショックである。新型コロナウイルスに関連する倒産は、6月19日現在で273件に上る（帝国データバンク調べ）。

こうした中で東京財団政策研究所は、着手すべき「経済政策的な対応」を「緊急提言」としてまとめ、3月17日に発表した。ひと言でいえばそれは、コロナショックをテコにして、日本のエリート層が共有するであろう経済認識を一気に実現しようとするものである。大企業をもうけさせ、中小の事業者は淘汰されるに任せ、職を失った大衆には低賃金労働に就かざるをえなくさせ、激安輸入品で生命をつなげばいいというのが、エリート層の経済確認の基本発想である。

東京財団によるこの提言は、政府が打ち出した新型コロナ対応の経済政策と類似している。政府の政策立案者が、この財団の提言を読んでいるかどうか分からないが、共通した認識を持っていることは間違いない。

もしこの路線で事態がこのまま推移していくなら、それは中小企業を淘汰するコロナショックドクトリンと、地域帝国主義への道につながっていく。どういうことか？　以下、このことについて述べていこう。

まず確認したいのは、消費税が10％に引き上げられた世界とは、どのようなものかということだ。消費税が10％になったのは、２０１９年10月のことである。実はこの年に入ってから、日本経済は落ち込みが見られるようになっていた。米中貿易摩擦に端を発した世界経済不安のためである。

この状況で消費税を引き上げた時の、経済や家計に与える深刻なダメージについて、多くの論者が警告してきた。しかし政府は聞く耳を持たず、２０１９年10月に消費税率を10％に引き上げた。その結果、案の定、同年10―12月期の実質ＧＤＰは、前期比年率換算マイナス７・１％となり、さまざまな指標が景気の落ち込みを示した。

消費税を２％引き上げたあとは、コロナショックの前でも、消費者物価指数の上昇率が前年同月比１％に達したことはない。ピーク時の12月でも０・８％である。たしかに、アルコール飲料を除く食料は消費税が据え置きになったが、内閣府の国民経済計算の「家計の目的別最終消費支出の構成」によれば、実質消費額に占める非食料とアルコール飲料の割合は、消費税率にかかわらずこの十年以上にわたって約86％なので、2％×0・86＝1・72％は物価が上がらなければならないはずである（エネルギー価格は12月で0・6％しか下落していない）。ところがそうなっていないということは、たくさんの業者が売値に消費税上昇分を転嫁できず自己負担しているということである。このような状態で、体力のない個人事業や中小零細事業がやっていけるはずはない。

それゆえ、消費税10％の世界とは、地域の経済やコミュニティを担い、人々の生業の場となってきた個人商店や中小の事業者が、もはや立ち行かなくなって一掃され、スケールメリットのある全国チェーン店やグローバル大企業ばかりが生き残る世の中だと言える。そこに働く人たちの多くは非正規の低賃金労働者ということになるが、たとえ低賃金でも、円高による激安輸入品があるから生きていけるということになる。

こうして地域の経済が弱体化し、コミュニティ機能もいっそう弱まった、スカスカの格差社会が出現することになる。

2 政府・財界が目指してきたビジョンが一挙に実現？

このようなあり方は、この間、小泉・竹中改革をはじめとして政府・財界が一貫して目指してきたところである。「日本経済は国際競争力を失っている」と称して、生産性が低いとされる分野を淘汰し、生産性が高いとされる分野に労働などの生産資源を集中する。そのために規制緩和や緊縮・デフレ政策を進めてきた。消費税の引き上げもこの一環だと言える。

消費税10％への引き上げによって、こうしたスカスカの格差社会への移行が着実に進んでいくことが懸念されていたが、実際、消費税引き上げを控えた2019年9月以来、倒産件数の前年同月比増が続いてきた。そこにとどめをさすようなコロナショックである。このため、この移行は、崖から飛び降りるような、後戻り不可能な急転換として起こることが懸念される。

さらに、アメリカ政府がこれまで総計約3兆ドルの経済対策を決めた上、1兆ドル規模の追加対策も見込まれ、中央銀行に当たる連邦準備制度理事会が4兆ドルの追加策をとってそれを支えるなど、世界中が巨額のおカネを作って財政支出をする中で、もし日本が何もしないでいると確実に円高が進行する。

ただでさえ、世界経済が動揺するたびに円高が起こってきたのである。今回のコロナ危機でも3月はじめに大幅に円高に振れた。その後、ドル決済需要の高まりと、日銀の国債買い入れ開始で円安に向かい、3月下旬に1ドル111円ぐらいまでつけたが、そのあとはずっと円高が進行するトレンドとなっている。執筆時点の6月末までで言えば、コロナ前より2円ほど円高の、107円台ぐらいで上下する状態が続いている。日本の経済対策で出されるおカネが少なすぎることの現れであろう。5月における日本の輸出額は、なんと前年同月比28・3％減であるが、こうした苦境の中、この調子で円高が進行したならば、輸入品との競争にさらされたり、直接・間接の輸出向けに機械や部品を作ったりしている中小零細企業は、さらなる打撃に見舞われることになる。

3 東京財団政策研究所の「コロナショックドクトリン」

そうした目で見ると、東京財団政策研究所が3月17日に発表した「緊急提言」は、この支配層のコンセンサスに立ったビジョンを、コロナショックを奇貨として一気に実現しようという意図のもと、周到に設計された経済政策パッケージだと言える。IMFなどが、天災や通貨危機などに便乗してグローバル支配層に都合のいい制度改革を押し付けてきたことを「ショックドクトリン」と呼ぶが、まさに「コロナショックドクトリン」である。そこには次のような提言が並んでいる。

・財政出動は、需要不足を補うだけのものではダメ。生産性を高める分野に重点投資せよ。（提言2）

・100兆円を限度として日本銀行がETF（TOPIX〔東証株価指数〕や外国の株価指数など基準になる株式を組み入れて、その指数と連動するように運用される投資信託のこと）や株自体を買うことは容認。（提言5）

・消費税減税を否定して、所得急減者に的を絞って生活支援給付。（提言6）
・それを超える支援は給付ではなく貸し付け。3年後に未返済の分から利子を払わせる。（提言7）
・企業の退出（廃業、倒産）と新規参入による「新陳代謝が不可欠」として、さまざまな事業安楽死策を提案。「度重なる天災・自然災害ごとに中小企業へ支援するのはややもすれば過度な保護になり、新陳代謝を損ないかねない」。（提言8）

つまり、生産性を高められる分野に限定して政府支出をするという図式である。大衆の消費需要を拡大することによって、個人事業・中小零細事業にも救済となるような需要の作り方（消費減税・全員一律給付）は否定されている。給付は、あくまで生活を最低限支えるために、どうしても必要な所得急減者に絞り、それ以外の支援は貸し付けにする。つまり、返せない業者は退場しろというわけで、コストをかけずに廃業できるように支援してやろうという仕組みになっている。

ところで、この「緊急提言」の発起人たちは、これまでアベノミクス批判で知られ、日銀が通貨をたくさん作る金融緩和にどちらかというと反対の人たちだった。それなのに、ETFや生株に限定して日銀が買っていいとするのは、それ以外の、例えば政府のコロナ対策のために発行された新規国債を日銀が買い支えることについては従来どおり否定的と読める。

政府が発行した新規国債を日銀が買い取れば、大衆や中小零細企業を助けるための政府支出ができる上に、金利低下で円安になるために国内製造業には有利となる。それを避けて、あえてETFや生株だけを大量に買えというのは、うがった見方をすれば、株を買い支えることで大企業を直接優遇することに加えて、日本株が上がって首尾よくいけば円高要因になり、中小零細企業の淘汰にもつながってちょうどよい、とすら思っているとも受け取れる。

なお、上述の東京財団による提言2の、財政出動で投資すべき「生産性を高める分野」として、「デジタル化」と称して診療、授業、行政手続き、仕事などのオンライン化があげられている。感染防止策として通りやすい分野だが、無原則に実現されると、世界中で一番コストの低い国や地域に仕事を奪われ、地場の業者、医療、教育機関が淘汰されかねない点に注意すべきである。実際、オンライン診療が自由化されたアメリカでは、オンラインでインドの医者に診察させていると言う。

4 政府の経済対策を貫く東京財団的ビジョン

その後、3月26日に行われた自民党の「経済成長戦略本部・新型コロナウイルス関連肺炎対策本部」の合同会議で、大和総研のエコノミストが経済対策の提言をしている。その骨子は、実際に読んでいるかどうかはともかく、東京財団の提言の精神にそったものである。ただし、いろいろと配慮を加えてマイルドになっている。

4月7日に発表された、当初の政府の経済対策は、この大和総研のプレゼンをほぼ下敷きにしていた。その事業規模は、１０８兆円と詐欺的に膨らませていたが、真の政府支出部分（真水）は16兆円余りにすぎないと言われ、おおむね大和総研の「国費投入」の規模15兆円とちがわなかった。感染が収束するまでの生活保障の「第一ステージ」と収束後の需要喚起策の「第二ステージ」に分けるところも大和総研と同じである。「消費税減税の拒否」「損失補償の拒否」「所得急減者に的を絞った現金給付」「融資中心の事業支援」などの点も大和総研と同じ（東京財団提言とも同じ）である。現金給付については、対象者が狭いことが批判され、多くの人が声をあげた結果、10万円の一律給付が決まった。しかしこれも、大和総研の提言で次善の譲歩オプションに入っていた。

第2ステージについても、「Go To キャンペーン」と称した観光、運輸、飲食等の需要喚起策と、「デジタル・ニューディール」と称した東京財団的オンライン化推進策を二大柱としてあげたところは、大和総研の提言にしたがっている。そこに、この機に乗じて懸案である事業を入れておこうと各省庁が持ち込んだプロジェクトが追加して並べられている。

5 「大衆の生活のための需要から、需要喚起策を切り離す」志向

消費税・コロナ不況で一番打撃を受けているのは、大衆の生活物資を生産する小企業や農家や、大衆の生活の場で商売する個人事業などである。だから、これらの事業者の雇用を救い事業を拡大するには、これらの財やサービスへの需要を作り出さなければならない。消費

税の停止や十分な一律給付金は、大衆の生活を直接救うとともに、こうした需要を作るものでもある。

ところが、2ステージに分ける政府や大和総研プレゼンの発想は、まずもって、大衆の生活保障を需要喚起から切り離して、最小限の財政負担で済むように、支援を受ける対象をごく一部の者だけに絞り込もうとするものである。これは、東京財団提言以来の主張で、中小零細事業を淘汰するために、生活保障のための財政出動がこれらの事業に対する需要喚起策とならないようにする発想である。他方で需要喚起の方は、大衆の生活とは別のところに、主に大企業がもうかるものとして位置付ける。これは、福祉や医療や教育を不生産的なものとみなしてお金をかけず、もっぱら大型開発を景気拡大策とみなしてきた旧来の保守政治の発想をひきつぐものである。

本来、民主社会においてあるべき需要喚起策とは、選挙で民意として示された福祉などの公共的ニーズに対してなされるか、でなければ、貨幣という〝投票用紙〟を通じて民意の選択にまかせてなされるかのどちらかだろう。もちろん後者は、なるべく〝投票用紙〟が平等に行き渡るようにした上でであるが。ところが「Go To キャンペーン」は、コロナ不況による打撃が今や全産業に波及したにもかかわらず、観光、外食、レジャーなどの私業分野を、民意に諮ることなく政府が恣意的に選び出し、公金で需要を興そうとするものであり、きわめて筋が悪い。

この点について東京財団の提言は、コロナ流行が終わったあともコロナウイルスが「非常に長期的に定着する」ので、観光、外食、レジャーなどは需要のレベルが恒久的に減って産業構造の変化が起こるために「新陳代謝」は不可欠とされている。需要喚起どころか、容赦なく淘汰の対象にしているのである。

6 東京財団的ビジョンを共有する自民党上層部

他方、政府の経済対策には、さすがに東京財団や大和総研が提言しているような「新陳代謝」などの刺激的な言葉はなく、見かけ上は中小事業の継続支援を前面に打ち出したものとなっている。しかし、さまざまな中小事業支援策は、手続きが煩雑すぎる上に条件が厳しく、審査・入金までに時間がかかりすぎて役に立たないことが指摘された。給付の上限枠も厳しく、多くの場合、この間に強いられた損失をカバーすることはとてもできないと批判された。支援の中心は融資だが、東京財団の提言のとおり、無利子は3年だけで、そのあとから利子がつく。国はほとんどゼロの超低金利で資金調達しているというのに。

たしかに、多くの批判を受けて、少しずつ改善されてはいったが、事態の進展に追いつけているとは言えないだろう。

しかも、自民党若手議員による積極財政的な経済政策提言をとりまとめた安藤裕衆議院議員が、粗利補償をしないと中小企業が潰れると訴えたところ、自民党幹部が「これでもたない会社はつぶすから」と答えたという。また、5月3日には元通産政務次官の逢沢一郎自民党衆院議員が「ゾンビ企業は市場から退場です。新時代創造だね」とツイートした。東京財団的ビジョンは、やはり政府自民党上層部にも共有されている。意識して逆方向の政策を追求しないと、コロナ後にスカスカの格差社会が到来するのを防ぐことはできない。

7 東南アジアなどへの企業進出の急増

そもそもグローバルに活躍できる財界主流派の大企業エリートたちは、人口が減っていく日本の国内市場など、とっくに見切りをつけている。だからこそ、大企業は国を見捨てて海外に出ていっている。

以前、民主党政権期の1ドル70円台の超円高の時代、高い技術を持ったたくさんの中小企業が国内でやっていけなくなって、追い立てられるように海外に出ていった。

筆者は、円高が最も進んだ2011年の年末に、名古屋で中小企業の経営者たちを相手に講演をしたことがある。終わってからの懇親会で、こんな円高ではとてもやっていけないと暗い話になった。直接の輸出額が低迷したり、納入先の輸出企業からの発注が減ったり、納入先の輸出企業が海外に出て行ってしまったりしたのである。みんな自分の技術に誇りを持ち、地域で雇用をつくる責任も自覚していて、極力ここで事業を続けたいのだが、でもやっていけない、タイに出ていこうかといった話を、口々に真剣にされていたのを思い出す。

その後、安倍政権期になって円安になったので、やがて国内回帰が始まったが、円高前の国内生産能力が戻ったわけではない。

それどころか、円高で無理やり追い立てられることはなくなったはずなのに、安倍政権になってから、東南アジアに対する企業の進出が急増している。

日本から東南アジアへの、工場などを作るための年々の直接投資から回収分を引いたネットの直接投資は、円高が進行した２０１１年は特別として、安倍政権成立後の２０１３年に急激に増えている。２０１９年分のネットの直接投資で見ると、中国へは約１４４億ドルだったのに対して、アセアン４（タイ、インドネシア、マレーシア、フィリピン）にはそれを上回る約１５９億ドル、シンガポール一国に対してでも約１５７億ドルである。２０１９年末時点での直接投資残高で見ても、対アセアン４（約１５１３億ドル）は、対中国（約１３０３億ドル）よりも多くなっている（２０１６年から対アセアン４は対中国を上回っている）。

東南アジアにかぎらず、この間の企業の海外進出はどんどん進んできた。その結果、海外子会社からの利潤の送金が年々高まっている。将来的にも増えていくのは間違いない。２０１９年は10・６兆円に達しているが、この年の経常黒字は20・１兆円なので、半分ちょっとは直接投資収益である。

これは外貨で送金されるので、日本では円に換えなければならないため、円高要因になる。つまり日本経済には長期的に通奏低音として円高圧力がかかり続けることになる。

さらに、中期的にはいずれ量的金融緩和が「出口」に来たとき、金利が多少は上がるので、これまでに比べて日本で資金を運用する有利さが高まって、やはり円高になる。よって、当面見通せる将来は、政策的に抑えることがないかぎり、円高傾向が続くことが見込まれる。

8 円高で産業空洞化していいというビジョン

日本経済はこれまで、多くの中小企業が部品や機械を作って輸出と雇用を支えてきた。上述したとおり、リーマンショック後の円高時代、たくさんのこうした企業が日本国内で事業を続けられなくなり、工場をたたんで海外に出ていった。再び円高時代がくると、またしてもこれが繰り返されて、産業の空洞化が進むことになる。

それに対して「これでいいのだ」というのが、この間の日本の支配エリートたちが立てた「東京財団」的ビジョンなのである。そこではこんなふうに考えられている。

すなわち、日本ではもはや国内消費需要の成長は望めない。食品も衣料も家電も車もそのための部品や素材も、およそ大衆向け生産物の生産において、すでに日本は優位性を失っているのだから、国内で作る必要はない。そんな旧態依然たる生産物の生産は東南アジアに任せればよろしい。これから拡大するアジアの大衆需要を取り込むために、そうした市場の近くに進出して現地の労働者を低賃金・低労働条件で雇用し、その生産の一部を日本向けに輸出すればよろしい。円高だから安く輸入できるので、国内で費用をかけて高い価格になってしまう非効率もなくせる……こういうわけである。

9　東南アジアを勢力圏とした地域帝国主義

これと整合するレジームは、アメリカから相対的に自立した地域帝国主義だと言える。もしかしたら日本のエスタブリッシュメントの中には、それを意識的に志向する勢力が存在するのではないかと思う。ＥＵがドイツ資本主義の一人勝ちの第四帝国になっている現状を、成功モデルとして捉えている人々が一定数は存在するだろう。

なぜ安倍政権は、アメリカが参加しないＴＰＰにこだわったのか。アメリカが加わらなければ、ＴＰＰにおいて日本は先進国として突出した存在になれる。

内閣官房のＴＰＰ等政府対策本部のサイトは、進出企業が現地政府を訴えることができるようにするＩＳＤＳ条項について、「海外で活躍している日系企業が、進出先国の協定に反する規制やその運用により損害を被った際に、その投資を保護するために有効な手段の一つになる」としている。つまり、日本企業の進出先であるアジアの国で、政権が変わったり自治体が独自政策をとったりして、労働保護基準や環境保護基準を強化したり、開発を禁止したりして、進出企業が当初より損をする可能性が出てきたら、ＩＳＤＳ条項を武器にして恫喝しようというわけである。

そこに、自衛隊を海外派兵できるようにする動きが重なると何が見えてくるか。低賃金で現地の人々を搾取するために多くの企業が進出し、その結果、激しい労働運動やテロなどで進出企業やその駐在員が危険にさらされたり、政権が転覆して国有化されようとしたりしたとき、日本人の生命と財産を守ると称して、最終的には自衛隊を派遣して実力で守るということだろう。

しかも、東南アジアに経済進出するのは、中国や韓国も同じだから、同じことを志向するに違いない。だから、「ショバ争い」が起こる。日本企業を標的にしたテロや、政変による接収などが起こった時、政府・マスコミがその要因として「中国の陰謀」を喧伝すれば、世論は自衛隊の派遣に賛成するかもしれない。

そう考えれば、ロシアによるクリミア併合に対し欧米諸国が経済制裁を課すなかで、安倍政権は名目的な制裁にとどめ、そのせいで欧米からは渋い顔をされ、領土問題でも成果が出なくてもロシアと結んだことも説明がつく。つまり、東南アジアでこれから中国帝国主義と覇を競うという野望があると考えれば、日本の北側を安全にしておくための合理的な行動だったと言える。

10 民衆を食い物にした繁栄にとってはよくできた将来ビジョン

しかし、低賃金で済ませようと企業が海外移転を進めれば国内の雇用はなくなるし、海外子会社からの利潤送金のせいで円高が進んで国内景気は悪化するし、海外進出企業が低賃金で製造した激安製品が輸入されて国内競合産業は壊滅的なダメージを受けるしで、労働者階級にとっては、まったくもってろくなことがない路線である。だが、日本資本の繁栄をよしとする立場からすれば、「国益」にかなってはいるだろう。

グローバルな大企業は海外で稼ぎ、円高を追い風にして日本に輸出してもうけることができる。

国内に残る雇用は、低賃金のサービス労働と高付加価値労働である。高齢化によって必要となる介護労働は、製造業で雇用がなくなるので、その分が介護労働に流れ込み、低賃金のサービス労働の一環として確保されるだろう。たとえ低賃金でも、より低賃金の海外の国で作られた生活物資が円高で輸入されれば、激安で購入できるから生きてはいける。激安だから、消費税率をさらに引き上げても大丈夫で、高齢化にともなう社会保障関連支出を抑制しながら、財源を確保できる。もしそれができなければ、現状どおり、日銀が事実上作ったお金で政府支出をまかなうことになり、そうなれば彼らにとっては円高が実現できなくて困るところである。

それで、国内に残っている高付加価値の工程については、「高プロ」制を導入することで、残業代を出さずに労働者を長時間こき使って、この体制下でも国際競争力を維持しようというわけだろう。

こういうビジョンを、少なくともオプションの一つとして抱いた上で、改憲などの「日本会議」的な復古志向や「愛国教育」、侵略の歴史の歪曲などが、地域帝国をリードするべき国民のプライドを支えるイデオロギー装置として位置づけられていると考えられはしないか。

11 この課題設定には1ミリも乗ってはならない

以上のような将来ビジョンが、政財官マスコミのエリートに共有される経済認識から必然的な成り行きとして導かれるものならば、こうした社会の実現を阻止するには、このエリートコンセンサスの経済認識をトータルに拒否しなければならない。ここで言う、エリートたちの経済認識を整理すれば、次のようなものとなろう。

（1）日本経済の衰退の原因は、旧来の産業構造からの転換が遅れ、国際競争力を失っていることにある。このままでは国際競争に負けて没落してしまう。

（2）生産性の低い企業・産業が、規制や財政投入や円安誘導のおかげで温存されている。このようなゾンビ企業を一掃して、そこに囚われていた生産資源を解放し、これから経済をリードする高生産性部門に生産資源を集中させなければならない。

（3）日本は財政危機にある。このままでは財政破綻は必至であり、それを避けようとすると通貨をたくさん出すことになり、円の価値が大きく損なわれてしまう。円の信認を維持して、その価値を高く保つために、プライマリーバランスの黒字化を目指すべきである。

（４）そのためには消費税の引き上げが必要である。また、財政の無駄を削り、やみくもな需要刺激ではなく、生産性を高められる分野に集中して財政投入する「ワイズ・スペンディング」をしなければならない。

このフレームのもとで、ここ四半世紀にわたって、マスコミを動員した「改革」が行われてきた。経団連は雇用の非正規化を進めるべきだと号令を発し、橋本龍太郎政権は消費税引き上げに緊縮財政を重ねて本格的なデフレ不況を招き、小泉・竹中改革が推進されるなかで就職氷河期のロスジェネが大量に生みだされ、民主党政権も橋下府政も財政再建を競い、安倍政権が消費税を引き上げてきた。この路線の延長上に、中小企業を淘汰するコロナショックドクトリンと地域帝国主義への道が待っているのだ。

この路線のもとで、一部の大企業を支配してそこから利益を得るエスタブリッシュメントの人たちがボロもうけしてきたし、これからも飽くことなくボロもうけしていこうというのである。そのための課題設定なのである。しかし、それによって、どれだけ多くの庶民が犠牲になってきたことか。だから、この課題設定には1ミリも乗っかるわけにはいかない。

反緊縮派は、財務省ばかりを悪者にするきらいがある。しかしこの路線は、政財官マスコミのエリート層が全体として推進してきたものである。財務省はその中の一つの機関にすぎない。そもそも、日本が財政破綻することも、見通せる将来に円が暴落することもあり得ないことなど、体制側でもまともな経済学者ならみな分かっていることだし、多くのエリートも分かっているのだろう。

　財務省に財政危機論を唱えさせておけば、グローバルな大企業の支配者たちにとってトクなことが実現できるのである。民間委託や民営化によって大企業がもうかる。社会保障サービスが削減されれば、削られた分を民間ビジネスが担うことになる。社会保障給付が削減されれば、労働者はクビになったら食べていけなくなって、低賃金でも従順に働いてくれる。しかも、上述の地域帝国主義体制には円高が不可欠であるが、国債を増発してそれを日銀が買い取り続けると円高は抑えられてしまうので、そうさせないために国債の増発を抑制する。こういう階級利害を背景とした「財政規律論」だと見るべきである。

12 リベラル派論客も同じことを言ってきた

　ところが注意しなければならないのは、エリート層に共有される先述の（1）〜（4）は、自民党に反対する立場の、いわゆるリベラル派の論者も言ってきたのではないか、ということである。試しに、「国際競争力」「産業構造の転換」「ゾンビ企業」「財政破綻」「通貨の信認」等々のキーワードといっしょに、思いつくリベラル派の経済論客の名前を並べて検索してみてほしい。

　これに似たような課題設定は、冷戦後の世界で新自由主義者によって広く持ち出されたものである。それを受けて、イギリスのブレア労働党政権やドイツのシュレーダー社民党政権、アメリカのクリントン民主党政権、フランスのオランド社会党政権といった「レフト2・0」のリベラル派・中道左派のエリートたちはこぞって、このフレームに乗っかってしまったのである。その結果、新自由主義とほとんど変わらない緊縮財政、そして労働条件の抑圧と経済停滞がもたらされた。

日本の「リベラル」も、その例外ではなかった。90年代のリベラル論壇は、これら新自由主義者の課題設定を丸呑みした上で、「不良債権処理が不徹底だ」とか「財政健全化が不徹底だ」とか「構造転換が不徹底だ」とか、自民党がこれらの課題を達成するには無能であるといって批判するポジションを取ったのだが、そのように世論を煽ってもリベラル政権は誕生せず、代わりに小泉フィーバーとか橋下フィーバーが巻き起こり、より徹底した新自由主義勢力によって、くだんの課題の解決を求める世論を作り出してしまったのである。そして、大衆がこの課題設定に飽きたために政権を奪取できた民主党は、その課題設定に依然として引きずられたままだったために、大衆から見放されたと言えるだろう。

13 リベラル派は意識的に加担しているのかどうか？

リベラル派論客の中には、円が暴落すると喧伝することで恐怖心を煽って、東京財団政策研究所の面々の日頃の主張と寸分違わぬ財政規律論を唱える人もいるが、こういう人たちはおしなべて円安より円高を好む傾向にあり、この人たちの問題意識は行き着くところ、通貨価値の維持にあるのだろうと感じられる。

また、労働組合の「連合」は消費税の引き上げに賛成してきたが、この方針に組合員の多数が本当に同意しているとはとても思えない。個々の加盟単位労働組合がみな賛成しているはずもなかろう。しかし、グローバルに活躍する大企業のうちごく一部のエリート正社員の労組幹部の中には、職場が海外に置き換えられる心配も、輸入品に脅かされる心配もないという人はいるだろう。そういう人は、海外進出が進んで会社の利益が上がることに利益を感じるだろう。そうした人の中には、中小零細企業や個人事業がつぶれても何の痛みも覚えない人もいるだろう。つまり、支配層の将来ビジョンによって、自分もそのお相伴にあずかれる人がいるということである。

さらに、リベラル派の代表政党で、「連合」からの支援も受けている立憲民主党は、「連合」のこうした方針もあって、消費税減税に煮え切らない態度でいるが、「基本政策」の中で次のように述べていることにも注意しておくべきである。

「自由貿易体制の発展にリーダーシップを発揮し、多国間・二国間での経済連携については、日本の利益の最大化を図ります。」

米国を除いた参加国の中で、日本が先進国として突出し、日本企業による投資を保護するのに有効だと政府が言っているISDS条項が入ったTPPができたときに「日本の利益の最大化」を図ると言っているのである。

これもおそらく、アメリカに食い物にされることを念頭においた話で、おおむね他意はないのだろう。しかしながら、全部わかってやっている人が中にはいるのではないかという疑念がぬぐいきれない。

そんなことはないならないで、それまた怖い話である。コロナショックドクトリンと東アジア円高帝国は、これまでの支配層のコンセンサスを前提に「課題」に対処しようとして、エリートたちが各自の持ち場でパーツパーツを合理的に作っていけば、その中で自然と全体のつじつまが合って形成されていくものである。日本を牛耳る黒幕が軽井沢の湖畔の別荘に集まってゼロから設計したわけではない。リベラル派の論客も労組幹部もリベラル政治家も、知らず知らずのうちに、新帝国主義体制の構築に加担しているのかもしれない。ときどき、リベラル派の論客の言うことに「東アジア共同体」論のようなものもあって、聞いてみるとＥＵがお手本だったりもするので、背筋が寒くなる思いがする。

14　ハルマゲドンは来ない

このような体制は、出来上がると安定的なものとして、当分は再生産されるだろう。これを防ぐには、アジアの労働者と連帯して賃金や労働条件の底上げを図るとともに、人事を尽くして円高を防ぐことが必要になる。そして、賃上げと人々の暮らしの底上げのための財政出動で、豊かな内需に支えられた経済を作らなければならない。そのためには、貨幣をつくる権力を人民の政権の手に収めなければならない。
これまで、往年のマルクス＝レーニン主義派の全般的危機論以来、我々は、自分たちの望む方向をとらなければカタストロフが来ると警告してきた。しかし現実にはそうはならない。これまでに起きた恐慌程度のことなら、資本主義は必ず乗り越える。もし変革に向けた闘いがなければ、人々の暮らしはますます苦しくなり、生きづらくなった日常が延々と地味に続くだけである。

＊本稿の議論について詳しくは「レフト３・０」を論じる近著を参照されたい。（2020・6・19）

［追記］

本稿脱稿後、２０２０年7月17日の「日本経済新聞」朝刊が、「中小企業減　容認へ転換／政府、社数維持の目標見直し　新陳代謝促し生産性向上」と題して、政府が従来掲げてきた中小企業数維持の目標を、２０２０年の成長戦略から削ると報じた。政府関係者は「事実上、廃業の増加を認める方針への転換だ」と解説しているという。新型コロナで倒産激増の実態に合わせた体であるが、より規模の大きい中堅企業への成長目標や、一人当たり付加価値額の上昇目標は掲げるとあり、この機に乗じた感が強い。また脱稿後に一層の円高の進行が見られ、本稿の懸念がますます深まっている。

（2020・7・30）

一汁一菜のコスモロジー
――土井善晴論

中島岳志
（南アジア地域研究、近代日本政治思想）

1 環境破壊とウイルスの引っ越し

多くの論者が指摘しているように、現代の新型ウイルス拡大は人間の環境破壊と密着している。これまで野生動物の体内を生息地としていたウイルスが、動物の個体数の激減によって住処を失い、接触機会の増加した人間に移住しているというのである。

パオロ・ジョルダーノは『コロナの時代の僕ら』（2020年、早川書房）の中で、次のように言っている。

ウイルスは、細菌に菌類、原生動物と並び、環境破壊が生んだ多くの難民の一部だ。自己中心的な世界観を少しでも脇に置くことができれば、新しい微生物が人間を探すのでは

なく、僕らのほうが彼らを巣から引っ張り出しているのがわかるはずだ。［ジョルダーノ 2020：67］

人間は、ウイルスにとって絶好の引っ越し先である。人間は着実に増え続けている。そして、広範囲に移動する。グローバル化を進めてきた人間は、次々に広範囲にウイルスを運んでくれる便利な乗り物だ。そして、人間は不特定多数と社会生活を送っている。繰り返し感染機会をつくってくれる。自己増殖を図ろうとするウイルスにとっては、条件がそろっている。人間が環境を破壊し、野生動物の生息地を奪ったことで、ウイルスの人間への引っ越しが進んでいるのだ。

だから、新型ウイルス問題は、「コロナウイルス問題」に限定されない。コロナ禍が一段落しても、また別の難民化した新型ウイルスが、人間に引っ越してくるのだ。パンデミックは繰り返しやってくる。人間が環境破壊を続ける限り、ウイルスの引っ越しは加速する。

これを止めるためには、人間と環境の関わり方を、本気で見直す必要がある。斎藤幸平は次のように指摘する。

資本主義は絶えず経済成長を追い求め、あらゆるものを商品化し、市場関係のうちへと引きずり込んでいく。その際には、新たな土地を求めて、残されている原生林もどんどん切り拓く。森林伐採と乱開発を継続すれば、未知のウイルスに接触する可能性は確実に増大する。［斎藤2020：302－303］

原生林を切り開いているのは誰か。それはグローバル企業である。「資本主義の多国籍企業が、世界中の増え続ける食料需要を通じて利益を上げようとして、アグリビジネスを推し進めてきたことが、世界的パンデミックの可能性を高めている」のである［斎藤2020：302］。斎藤は言う。

過剰な森林伐採と土壌侵食を引き起こす資本主義的アグリビジネスをやめることしか、根本的解決策は存在しない。人間と自然のバッファーとなる領域をしっかりと確保し、地産地消型の持続可能な農業に移行していくことは、自然を守るだけでなく、農業生産者を守ることにもつながるはずだ。［斎藤2020：307］

私は斎藤の見解に賛成である。地産地消に基づく新しい相互扶助関係を構築し、行き過ぎたグローバル資本主義に歯止めを掛けなければならない。国家規模でのグリーンインフラ政策によって雇用を拡大し、環境問題解決と再配分政策の両立を図るべきである。新自由主義と決別し、グリーンニューディールを推進すべきである。

しかし、その思いと、私の日常生活の間には、やはり距離がある。アグリビジネスによる森林伐採の現場は、どうしても遠い。痛々しい光景はなかなか視界に入ってこない。環境問題は、身近なはずなのに、遠い。

この距離をどう考えればいいのか。

そんなことを考えていたときに、次のような文章に出会った。

地球環境のような世界の大問題をいくら心配したところで、それを解決する能力は一人の人間にはありません。一人では何もできないと諦めて、目先の楽しみに気を紛らわすことで、誤魔化してしまいます。一人の人間とはそういう生き物なのでしょう。しかし、大きな問題に対して、私たちができることは何かと言うと「良き食事をする」ことです。

[土井2016：47]

書いたのは土井善晴。料理研究家としてテレビでよく見る「あの人」だ。

2 土井善晴──「家庭料理は、民芸や」

土井善晴の父は土井勝。ＮＨＫ総合テレビの『きょうの料理』や、テレビ朝日の『土井勝の紀文おかずのクッキング』に出演し、家庭料理の第一人者として知られた。

料理研究家の息子として生を受けた彼は、高校生の時には料理の道に進むことを決意し、大学入学後、一年休学をしてスイスのローザンヌに渡った。午前中は料理学校に行き、午後はローザンヌパラスという一流ホテルの厨房に入った。そこで身につけた技を持ち帰り、大学に通いながら、神戸のレストランで働いた。大学卒業後、またヨーロッパに渡る。次に選んだ渡航先はフランスだった。

フランスで目にしたのは、ミシュランの星をとるためにしのぎを削るシェフたちの姿だった。世界トップクラスの料理人たちを間近に見ることで、土井も彼らのような一流の料理人になりたいと強く願った。

修業を積んだ土井は、京都の瓢亭《ひょうてい》の料理長に「仕事をさせてください」と懇願し、大阪の「味吉兆」が北堀江に開いた新店舗で働くことになる。彼は休みなく働き、着実に腕を上げていった。

しかし、そんな時に、父から料理学校を手伝って欲しいと言われる。一流の料理人を目指し、パリで日本料理屋をオープンさせることを夢見ていた彼は、「なんで私が家庭料理をせなあかんの」と落胆した。しかし、父の意向に背くわけにはいかない。彼は渋々、父の要望を受け入れ、家庭料理の道に入った。

そんな時に立ち寄ったのが、河井寛次郎記念館だった。河井は近代日本を代表する陶芸家で、京都・東山に自宅兼仕事場をもった。その場所が記念館となり、彼の作品が展示されている。

土井は、ここで「民芸」と出会った。そして、「家庭料理は、民芸や」と考えたという。

日常の正しい暮らしに、おのずから美しいものが生まれてくるという民藝の心に触れたとき、「ああ、これって家庭料理と一緒や、家庭料理は民芸なんや」という確信が初めて持てた。そう捉えたら、「これはやりがいがある世界や」と思えるようになりました。〔土井2017b〕

日本民芸運動を主導した柳宗悦は、素朴な民芸の中に「他力の美」を見出した。芸術家の作品には、美しい物を作ろうとするはからいが投影されている。一方、実用性を重んじる民芸には、美へのはからいがない。しかし、手仕事の日用品には「用の美」が存在する。美しい物を作ろうというはからいを超えたところに、人間の意志や意図を超えた「他力の美」が宿る。それが民芸運動の思想である。

有名シェフが作る料理は、はからいに満ちている。美しいものをつくろう、これまでなかったような味を追求しようという強い意志が反映されている。それに対して、家庭料理には、美へのはからいが存在しない。無名の庶民の日常に溶け込んでいる。しかし、そこに、慎ましやかな「用の美」「他力の美」が現れている。家庭料理は民芸とつながっている。

土井は言う。

おいしさや美しさを求めても逃げていくから、正直に、やるべきことをしっかり守って、淡々と仕事をする。すると結果的に、美しいものができあがる。［土井2017a］

一流と言われる料理人の仕事は、素材の見た目は生かしても、味は「総替え」する。それが料理人の腕の見せ所となる。しかし、家庭料理は違う。素材を生かして、シンプルに料理する。時に煮崩れしたり、焦げが出来たりする。料理人のはからいを超えた味が生まれる。そのムラがおいしさにつながる。「素材を生かすためには、シンプルに料理することがいちばんです」（2016a：23）。手を掛けすぎてはいけない。人間の力によって、強引な味付けをしてはならない。素材の味を大切にする。ここに自然との交わりが生まれる。

3 レシピという設計主義を超えて

土井の料理の特徴は、〈手を掛けすぎないこと〉に集約される。

一般的なレシピでは、味を均一にするために、よく混ぜることを推奨することが多い。しかし、土井は違う。均一に混ぜるよりも、不揃いを称揚する。

ひとつひとつの料理で、どの粗さで混ぜるのをやめるか考えはじめたら、すごくおもしろくなるんです。ポテトサラダでも「ああ、おいしそう！」という時点でそれ以上混ぜたら、不味くなりますから。［土井2017a］

混ぜ具合は数値に還元できない。「『なんとなく気持ちいいな』とか、心地よさとか、違和感のなさとか、そんなふうに、身体が感じることで判断していったほうがいい」と言う。「『脳で考えることをあんまり信じたらあかんで』と思ってるほうなんです」とも言う［土井2017a］。

土井にとっての料理は、次第に作者性が解体されていく。私が料理を作っているのではない。素材の環境を整えることで、料理が生成する。人間は素材が引き立つためのサポートと調整をしているに過ぎない。

土井が尊敬する人に、味噌造りのマイスター・雲田實がいる。雲田は「『良き酒、良き味噌は人間が作るものではない、俺が作ったなどと思い上がる心は強く戒めなければならない』と口癖のように言う実直な人柄」だという［土井2016a：182］。土井の料理の世界は、自力を超えた他力の世界へと接近していく。料理は作るものではなく、やってくるものである。自然を人間によって統御するのではない。自然の中に自らを置き、素材と呼応することによって料理が現れる。

土井は、料理番組などでレシピを提示する。しかし、そのレシピを自ら解体する。

まあ、レシピは設計図じゃありませんから。記載された分量とか時間に頼らないで、自分で「どうかな」って、判断することです。自然の食材を扱う料理には、自然がそうであるように、いつも変化するし、正解はない。というよりも、違いに応じた答えはいくつもあるんです。だから、失敗の中にも、正しさはあるかもしれません。［土井2020］

食材は生きている。当然、収穫からの時間や保存状態などによって、変化が生じる。その時の状況を見なければ、どう調理すればいいかわからない。なのに、レシピは強引に素材をコントロールしようとする。力ずくで均質な枠組みにはめ込もうとする。

土井は、レシピという設計主義を超えようとする。それよりも素材の力に任せた方がいい。火の力に任せた方がいい。混ぜすぎない。触りすぎない。計りすぎない。レシピはあくまでも目安であり、自分の身体感覚と素材を呼応させることが、判断の基準を生み出す。料理はレシピに還元されない。

土井は言う。「味噌に任せればレシピの計量は不要です」［土井2016a：57］。

4 料理というミクロコスモス

土井が重視しているのは、「はからい」を超えた自然の力であり、行き過ぎた作為の超克である。

人間がなせることには決定的な限界がある。土井は、「どうしたらレシピに頼らず、おいしいものができるのでしょうか」という問いに対して、次のように述べている。

まずは、人が手を加える以前の料理を、たくさん体験するべきですね。それが一汁一菜です。ご飯とみそ汁とつけもんが基本です。そこにあるおいしさは、人間業ではないのです。人の力ではおいしくすることのできない世界です。みそなどの発酵食品は微生物がおいしさをつくっています。ですから、みそ汁は濃くても、薄くても、熱くても、冷たくても全部おいしい。人間にはまずくすることさえできません。そういった毎日の要になる食生活が、感性を豊かにしてくれると、私は考えています。［土井2020］

土井が追求するのは、「人間業ではない」おいしさである。生活の要になる日常の食事には、安心感が必要である。毎日食べているのに、食べ飽きないこと。安堵に包まれること。そんな料理は、常に人間のはからいを超えている。「食べ飽きないご飯とお味噌汁、漬物は、どれも人間が意図してつけた味ではありません」［土井2016a：13］。

ごはんは米をといで水加減して炊いただけ、みそも漬物も微生物が作り出したもので、そこには小さな大自然ができています。自然の山の景色とか一輪の花の美しさとか、見飽きることがありませんよね。それと同じです。［土井2016b］

ご飯や味噌汁は、「小さな大自然」である。料理し食事をすることは、自然と直接的に交わることに他ならない。私の中にミクロコスモスが入ってくることで、マクロコスモスとつながる。その連続性を感受することで、安心感が生まれる。「どんな食材を使おうかと考えることは、すでに台所の外に飛び出して、社会や大自然を思っていることにつながります」［土井2016a：45］。

土井は、ＮＨＫ『きょうの料理』で、「新米で作る真っ白の塩むすび」を取り上げたことがある。手で米に触れる。ほどよい大きさ、固さに整える。塩加減を整える。私たちに出来ることは整えることだけ。そこにおいしさが自ずから現れる。心が落ちつく。「ほんとうのおいしさは安心感をともなうのです」［土井2014］。

5 後ろから押す力

メディアで紹介される刺激的な食べ物は、すぐに廃《すた》れる。それはあくまでも非日常の特殊なものであり、日常を非日常で埋め尽くすと、体が疲れる。食べ続けることは出来ない。土井は、ハレの価値観をケの食卓に持ち込みすぎていると指摘する［土井2016a：29］。多くの人が毎日の献立に悩んでいるのは、家庭の日常の中に、新規のものを取り込もうとしすぎているからである。

そこで土井が提唱するのが、「一汁一菜」のすすめである。現代人は忙しい。なかなか料理の時間をとることが出来ない。毎日の料理が負担になる。そのような状況に対し、土井はシンプルを追求することを説く。「簡単は手抜きじゃない」［土井2019］。

大切なのは、自然と人間の交わりを整えること。そこに、おいしさと安息が生まれる。「普通のおいしさとは暮らしの安心につながる静かな味」である。「切り干しのおいしさは、「普通においしい」のです」［土井2016a：19］。

土井が重視するのは、その土地の食文化と風土の連続性である。そこには、個人のはからいを超えた力が存在する。

それは百年や二百年という短い時間でできたものではありません。千年、いやそれ以上、

人間の歴史と同じだけの長い時間を掛けて少しずつ経験して蓄積してきたものです。［土井2016a：14］

土井の料理は、自然と交わると共に、死者と交わっている。それは決して名のある料理人たちではない。無名の庶民たちが、歴史の風雪に耐えて残してきた英知である。特定の個人の理性によって作りあげられたものではなく、理性を超えた集合的経験値によって伝えられてきた良識である。

庶民は、毎日毎日、同じことを繰り返してきた。現代人は、その繰り返しを退屈で凡庸なものと見なしがちである。しかし土井は、同じ事の繰り返しだからこそ気づくことがあるという［土井2016a：31］。

素材を手にする。見た目や手触り、匂いなどによって状態を見極め、どう料理するかを判断する。食材と言葉を超えた対話を繰り返す。そして、ほどよい加減に調理し、味を調《ととの》える。このプロセスは、極めて動的でダイナミックな活動である。五感を使い自然と交わる。ミクロコスモスと私を調合していく。土井は言う。「たった一つの石ころとでも友達になれるのです」［土井2016a：31］。

土井は、料理の音・匂い・気配も食事だという［2016a：42］。その一連のプロセスが交わることで、家族の安心が生まれる。「台所の安心は、心の底にある揺るぎない平和です」

［2016a：42］。

6　太陽からの一方的贈与

土井は、現代の資本主義の過剰に警笛をならす。競争原理の中に埋没すると、大切な物が見えなくなる。生きるために殺し合うという矛盾が生じる。人々は忙しくなることで、料理を省略するようになった。そして、料理の時間を煩わしいと捉え、外食によって置き換えようとしてきた。しかし、そのような慌ただしい日常は、大切な日常を置き去りにしてきた。料理から遠ざかれば遠ざかるほど、人々は自然から疎外され、心の平穏を失ってきた。シンプルでいい。簡素でいい。料理を取り戻したい。それが土井の切なる願いなのだろう。

土井の根底にあるのは、太陽からの贈与という観念である。食材はすべて「お天道様からいただいたもの」である。食事は太陽からの贈与を受け取る瞬間である。

　お料理と人間とのあいだに箸を揃えて横に置くのは、自然と人間、お天道様から生まれた恵みと人間とのあいだに境を引いているのです。私たちは「いただきます」という言葉で結界を解いて食事をはじめるのだと考えられます。［土井2016a：123］

私たちは、太陽からの一方的贈与がなければ生きていくことが出来ない。にもかかわらず、私たちは自分たちの努力によって生きていると勘違いしている。自己の力への過信が蔓延している。そこに「お天道様を心に（いつもは）置くことができなくなった私たち」が存在する［土井2016a：142］。

土井が提唱する一汁一菜は、「お天道様と人間の関係」を整え直すことにつながる［土井2016a：181］。

> 秩序いうのは、自然ですよ。お天道様とつながるところには、草木の正しさがあります。伝統的な日本の暮らしにはそれがあって、一汁一菜というのが日本人の食のスタイルです。土台は大自然とのつながりだし、その風土の中で生まれたのが食文化です。それが、地球をすみかとする人間の条件です。［土井2020］

土井の願いは、料理と食事の時間を取り戻すことで、自然との関係性を取り戻すことに帰結する。人間の思い上がりやはからいを諌《いさ》め、「お天道様からの恵み」に謙虚になること。力ずくの料理をやめて、素材を整えることに専念すること。混ぜすぎない。味付けしすぎない。計りすぎない。自己の賢《さか》しらな考えよりも、自然の力と歴史の力に委ねること。そんな料理の時間を取り戻すことで、心の平穏を回復することが重要だと、土井は言う。

ポストコロナの価値観を探求しなければならないところに、私たちは立たされている。それは、何よりも環境問題に帰結するだろう。ウイルスの生息地を奪ってきた人間のエゴイズムに、痛切な反省が求められる。グローバル資本主義を見直し、グリーンインフラに力を注がなければならない。

しかし、重要なのは、そんな壮大なことよりも、まずは私たちの日常を整え直すことなのではないだろうか。毎日の料理と食事のあり方を見つめ直すことから、自然との関係を再構築すべきではないだろうか。

ステイホームによって「家食」が見直される中、土井善晴の料理は、静かに文明のあり方を問うている。

【引用文献】

斎藤幸平　2020　「コロナ・ショックドクトリンに抗するために」『群像』２０２０年６月号

ジョルダーノ、パオロ　２０２０　『コロナの時代の僕ら』早川書房

土井善晴　2014　『ＮＨＫきょうの料理』２０１４年11月号

――――2016a　『一汁一菜でよいという提案』グラフィック社

――――2016b　「『一汁一菜でよいという提案』土井善晴さんがたどりついた、毎日の料理をラクにする方法」

（ＫＯＫＯＣＡＲＡ、２０１６年12月19日）
——2017a「家庭料理のおおきな世界。」（糸井重里との対談、「ほぼ日刊イトイ新聞」２０１７年１月11日）
——2017b「『うちの嫁が』と言う男性には違和感しかない」（東洋経済オンライン、２０１７年３月29日）
——2019『土井善晴の素材のレシピ』テレビ朝日
——2020「家食増えるいま聞きたい——土井善晴さんの『一汁一菜』」（朝日新聞デジタル２０２０年４月７日）

（２０２０・６・29）

コロナ危機、民主主義、そして世界的連帯

宇野重規
（政治哲学）

1 はじめに

コロナ危機は、私たちの価値観を問い直している。政治についてもそうだ。新型コロナウイルスの感染拡大は、人と人との距離についてあらためて考えるきっかけとなった。人々が一緒にいること、そして共に生きることが政治の問題と直結する以上、コロナ危機を通じて、私たちの政治に関する感覚が鋭敏になったとしても、不思議ではない。

政治を考えるにあたって、人間と人間との間の言語を介した相互関係に着目したのは、ハンナ・アーレントである。言うまでもなく、コロナ危機は、感染拡大を防止するために、人と人との物理的距離を要請する。しかしながら、自宅に閉じ込められた人々は、情報を求め、これまで以上にマスメディアやSNSに接することになる。絶えず多様な人々の声や考えに

接し、それに振り回されるという意味では、人と人の間はむしろ縮んでいるのである。古代ギリシア語で真理と区別される、多様な人々の意見をドクサと言ったが、過剰なほどのドクサの海で、人々は溺れつつある。

このような状況において、しばしば耳にしたのは、「緊急事態にあたっては、ある程度、トップダウンの決定も必要ではないか。そのために民主主義が一時的に制限されるとしても、やむをえないのではないか」という類の言説である。たしかに民主主義は、意思決定にあたって人々の合意を重視する。合意形成には必然的に時間がかかるが、緊急事態においては迅速な決定が求められることも多い。場合によっては、既存のルールや制度を超えた決定をする必要もあるだろう。そうだとすれば、民主主義は緊急事態には不適当ではないのか。むしろ独裁的な手法の方が危機によりよく対応できるのではないか。実際、中国ではかなり強引な強制的手法を行使して、武漢からの感染拡大を防いだ――このような意見が説得的に聞こえるのも、あるいは無理はないのかもしれない。

しかしながら、本稿では、あらためてコロナ危機を通じて問い直された民主主義について考えてみたい。はたして危機に民主主義は対応できないのか。コロナ危機を通じて、政治システムは変容しつつあるのか。コロナと共に生きざるをえない社会において、人と人との関係はどうなっていくのか。そして何より、民主主義は生き残れるのか、生き残れるとすれば、どのような民主主義か。これらの考察を通じて、むしろ民主主義の意義と重要性を再確認することが、その目的である。

2 問われる民主主義

最初の問いは、はたして民主主義は危機に対応できるのか、ということである。

歴史を振り返ってみれば、戦争や巨大災害などの緊急事態において、政治的指導者に、通常の法律や制度の枠を超えた強い権限を与えた事例は少なくない。

参考になるかもしれないのが、古代ローマの「独裁官」という官職である。この言葉はいわゆる「独裁（dictatorship）」の語源となったものであり、名前だけを聞くと、一瞬ギョッとしてしまうかもしれない。しかし、この制度が興味深いのは、それがあくまで制度的なものであることだ（詳しくは拙稿「政治思想史における危機対応―古代ギリシャから現代へ」、東大社研・玄田有史・飯田高編『危機対応の社会科学　上』、東京大学出版会を参照）。

事実上、独裁的な権力を持った人物ならば、歴史にいくらでもいる。しかし、このローマの「独裁官」は、あくまで制度的なものであり、非合法な存在ではなかった。「独裁官」は戦争や内乱などの緊急事態にあたって任命され、超法規的な措置を行う権限を持っていた。ただし、その権限は無限に続くものではなく、一定の時間が過ぎると終了する。さらに任務の終了後には、その任務をよくはたしたかどうか厳しく審査された。もしその強大な権限を濫用したと判断されれば、処罰を免れなかったことに制度の特徴がある。

その意味で、古代ローマの政治的知恵は、緊急時には平時と違う政治的対応がありうるという前提の下、あくまで事前に制度を準備し、事後に厳しく審査したことに見出せる。緊急事態の名の下に、人民と元老院からなる通常の政治システムによるチェックが否定されたわけではないことを確認しておく必要があるだろう。

それゆえ、日本で緊急事態宣言を考える場合も、事前に明確な規定があること、および事後に厳しい審査と責任追及を伴うことはあらためて言うまでもない。今回の緊急事態宣言の場合、法案が泥縄式で準備され、事後のチェックの仕組みも不透明なことを考えると、不安の思いも残った。「緊急事態」があくまで法的に位置づけられた明確な概念であり、超法規的な措置のズルズルべったりとした追認ではないことを再確認すべきである。緊急事態宣言は、災害やパンデミックなど限定された事態において、限られた事項についてのみ認められるべきである。なし崩しに歯止めがなくなることは絶対に避けねばならない。

また、事後的な検証を可能にするためには、その間の記録を確保することがきわめて重要である。これなしには、はたして政府による決定が適切であったのか、後からチェックができなくなるからである。例外的な判断が求められる緊急事態だけに、事後的な責任追及への道を確保しておくことが何よりも肝心である。多くの人々の生命や暮らしが左右されるだけに、場合によって、政治指導者がその責任を問われることもあるだろう。記録の不備により、その間のプロセスに不透明さが残るとすれば由々しき事態である。

いうまでもなく、このことは憲法に緊急事態条項を盛り込むこととは慎重に区別されるべきである。緊急事態に対応することは、憲法の下、通常の立法によって可能である。むしろ政府の行為を、事前の制度化と事後の検証によって制約する立憲主義的な枠組みを充実させることによって、民主主義がよりよく緊急事態に対応できると考えるべきだろう。

3 政治システムは変質するか

次なるポイントは、政治システムの拡大とそのチェックである。戦争や災害などの危機に際して、政府の役割はしばしば拡大する。しかも、緊急の必要に応じるために政府の権限が拡大し、そのための予算や組織が整備されると、平時になってからも元には戻りにくい。結果として、政治システムはどうしても拡大しがちである。

疫病に関しても同様であり、かつてヨーロッパでペストが流行した後には、衛生や人々の生命管理をめぐって政府の権限が拡大した。一六九〇年にはウィリアム・ペティの『政治算術』が刊行されているが、主権国家が自国内の人口やその状態に着目し、これを管理しようとしたことをよく示している。二〇世紀においても、第一次大戦後にスペイン風邪が流行している。この時期、行政国家の拡大も始まっているわけだが、両者は無関係でないはずだ。

今回の新型コロナウイルスについても、中国などの国々において、都市封鎖を含む強硬な対策で、感染拡大を封じ込めることに成功した。個人のプライバシー侵害を恐れることなく、感染者の行動経路を徹底的にアプリで追跡することも功を奏したとされる。今後、セキュリティ維持のため、個人情報をより効率的に管理することを求める声は、日本においても高まるだろう。

この場合に難しいのは、安全と自由をめぐるトレードオフが見られる点である。実際、個人のプライバシーを制約してでも、より有効な個人情報の管理とセキュリティ対策を求める声が、国民の側からもしばしば聞かれる。ある意味で、個人の自由や権利を束縛する政治権力の拡大を、むしろ国民自身が望むという事態が生じているのである。

現在、中国をはじめとする他の東アジア諸国と比べるならば、日本の場合、良きにつけ悪しきにつけ、個人の行動を追跡するテクノロジーへの動きは鈍いと言える。IT社会にふさわしい個人認証と金融技術の導入という点では、むしろその遅れを問題にすべきかもしれない。しかしながら、コロナを経験した社会では、個人の行動を管理し、監視することへの要求は否応なく高まる。そのことがいかに政治システムの拡大につながるか、慎重に見極めていく必要がある。

その際、テクノロジーを用いて個人の行動を管理しようとする政府やグローバルなプラットフォーム企業の動きに対して、市民社会の側からチェックしていくことが急務である。多くの市民にとって、そのようなテクノロジーの内容を正確に把握することは難しいだろう。その暴走によって個人の権利が侵害され、民主主義が歪められることのないよう、専門家による独自の監視組織の充実もより重要になってくる。

ちなみに、今回のコロナ危機を通じて、各国の指導者はしばしば「戦争状態」という言葉を用いた。多くの犠牲者を生み出し、経済的・社会的苦境に陥るなど、事態が深刻であることは理解できる。また、ウィルスとの戦いに国民の総力を挙げて勝たねばならないのも確かであろう。とは言え、「戦争状態」が適切な比喩であったのかについては、依然として疑問が残る。問題はパンデミックの克服であって、国家間の対立でもなければ、武力を用いた紛争処理でもない。かつてトマス・ホッブズは人間の自然状態が戦争状態に他ならないことを理由に、強力な統治権力の必要性を説いた。二〇世紀の総力戦を通じて、国家権力が拡大したことも確かである。それだけに、戦争状態の比喩を用いることには注意が必要であろう。

4 コロナと共に生きるとは

第三に、コロナと共に生きることの人間的・社会的意味についても考える必要がある。新型コロナウイルスに関する緊急事態宣言は解除されたが、言うまでもなく、再度の感染拡大の可能性は残っている。第二波・第三波の可能性を考えるならば、私たちは当分、コロナと共に生きていかざるをえない。これからも、一定のリスクとともに暮らす日々が続くのである。その一方、「ニューノーマル」や「新しい生活様式」が言われるように、私たちの行動や意識は、新型コロナウイルス以前と以後で大きく変りつつある。

言うまでもなく、つねに一定のリスクを意識して、日々を過ごし、行動していかなければならないことは、人々に大きな心理的ストレスを与える。この間も、相互に過剰なまでの自粛を求める「自粛警察」の動きが各地で伝えられたが、これもそのようなストレスによって加速された側面が強い。自分がこれだけ自由を奪われ、それに耐えているにもかかわらず、好きなように行動し、ルールを守らない人間がいるのは許せない。そのような鬱屈こそが相互を規制する行動や言論の原動力になったのであろう。このようなストレスは世界各地に共通してあったはずだが、目に見えやすい暴動や違法行為が見えにくかった日本においてこそ、潜在的には強いのかもしれない。このようなストレスが今後も続くとすれば、それが社会のいかなる部分に「噴出」するのか、気がかりである。

いずれにせよ、人々の物理的・社会的な距離について文化変容が起きつつあることは間違いない。日本においてあれほど進まなかったリモートワーク化が、今回のコロナ危機を通じて大きく進みつつあるのは、歴史の皮肉である。日本において、他の先進国と比べ、一人当たりの労働生産性が低いことがつねに指摘されてきたが、とくにサービス産業における労働生産性の低さは顕著であった。その理由は多様だが、無駄な会議の多さや、決裁書類における判子の習慣などが問題視されている以上、リモート化の加速はそのような日本の非効率な労働環境の変化を促す可能性を持っている。その他にも、遠隔医療や学校におけるオンライン講義化など、リモート化は日本社会を変えていくだろう。

もちろん、リモートワーク化は主に大企業や外資系などが中心であり、中小企業の従事者、あるいは医療・食料・エネルギー・介護など社会の維持に不可欠なエッセンシャルワーカーなどについては、リモート化が難しいことは言うまでもない。リモート化が進むのは社会の限られた範囲であり、その影響を過大に評価することには慎重でなければならない。とはいえ、人と人とが必ずその場に集まらなければならない仕事と、そうでない仕事の区別に人々はますます意識的になり、そのことが中長期的に社会を変えていくことは間違いない。リモート化は不可逆な流れである。

このことの裏返しであるが、リモート化が進むにつれ、むしろ、人と人とが直接顔を合わせること、一緒にいることについて、ある種の臨場感やライブ感を求める動きも強まることが予測される。人間には単に視覚情報や音声を通じてだけでなく、五感を通じて、他の人間と繋がることへの欲求が存在する。オンラインではかなわないコミュニケーションを求める感覚は鋭敏になるであろう。

無駄に人に会う必要がないということは、逆に言えば、本当に必要な場合は、やはり直接、同じ空間で何かを共有することの価値が高まることを意味する。今回のコロナ危機を通じて、ライブハウスやエンターテイメント空間がウイルス感染の現場となるとして閉鎖に追い込まれたが、このような空間の回復を求める声が大きいことは、人々の欲求の所在を示しているだろう。やはり、人と人とが「一緒にいること」には固有の意味があるのである。

5 安全／経済／自由のトリレンマ

それでは、今後に向けて、私たちが考えるべき課題はどこにあるのか。もっとも重要なのは安全／経済／自由のトリレンマであろう。人々が安全を求めて、むしろ「管理社会」や「監視社会」を望みつつあるという、安全と自由のトレードオフについては、すでに触れた。今後はさらに、コロナウイルスの経済的・社会的影響が全面化するであろう。現在、飲食業や観光業を中心に、多くの産業が危機に直面している。各種の有期雇用者やフリーランスの人々などが、十分な補償を受けられないままにいることは言うまでもない。

ようやく学校も再開したが、国民の基礎的な権利である教育を受ける権利について、この間、その負担の多くが家庭に委ねられた。この負担に対応できるかどうかは、その家庭環境によるところが大きく、元からあった格差がさらに拡大していることも懸念される。医療や介護、さらに社会的孤立の問題も、この間、深刻になることこそあれ、よくなることはなかった。ある意味で、国民各層からの悲鳴に近い声が遍在する状況において、人々の安全と経済の回復、そして個人の自由や権利を守ることは至難の技であろう。

休業補償や経済対策としての各種補助金など、緊急の対応が重要であることは言うまでもない。企業の倒産を防ぎ、雇用の減少に歯止めをかけるために、あらゆる知恵を使うべきである。ただ、同時に、私たちはより中長期的に、社会における平等や公正についても考えなければならない。

新型コロナウイルスのダメージが人によって、相当に違うことは明らかである。収入が安定している人はまだ、苦境を踏ん張ることができるかもしれない。家族や友人など、見守ってくれる人がいる人は、何とか困難をしのげるかもしれない。が、そうではない人にとって、事態は深刻である。ある意味で、パンデミックは、もともとより脆弱な立場にある人をさらに脆弱な立場に追いやってしまう。そうだとすれば、いかにすれば、ダメージを社会全体として受け止められるか、特定の人に重くのしかかる負担をいかにして分かち合っていけるかについて、真剣に考えるべきだろう。

言うまでもなく、安全／経済／自由、あるいは社会的公正のいずれをも満たすベストの解答があるわけではない。安全を優先すれば自由が失われ、経済が回復しても公正が損なわれることがありうる。今後、経済活動の回復のため、安全を軽視した決定がなされるかもしれない。だからこそトリレンマなのであり、この点について、社会的に問題を共有し、トレードオフを意識し、三者のバランスをいかに取るか、議論を続けなければならない。これはまさしく政治哲学の課題である。

6 決定をめぐる不透明さ

それにしても、今回、日本においては他国と比べても死者の数は少なかった。にもかかわらず、各種世論調査を見る限り、政府の対策についての国民の評価は高くない。いわゆる「アベノマスク」の不評、給付金をめぐる混乱、休業補償の遅れや不十分さなどの理由が考えられるが、より根本的に、国民は政府の対応に不満や不信を感じているように思われる。

今回、日本は欧米諸国のようにロックダウン（都市封鎖）をするわけでもなければ、PCR検査を徹底し、感染者の行動を徹底的に追跡する韓国など、東アジア型の対応を取るわけでもなかった。独自なクラスター（感染者集団）対策に力を入れるとともに、「密閉・密集・密接」の3密をさけ、接触の8割削減を目指す。そして、緊急事態宣言を発して「自粛を要請」したのがその特徴である。

ロックダウンのような強硬策を取らず、個人のプライバシーを大きく規制しないという意味では「ソフト」な対策であったが、その分、休業補償は遅れ、「自粛警察」の嵐が吹き荒れる副作用をもたらした。とはいえ、ロックダウンも徹底的なPCR検査もせず、それでいて感染による死者の爆発的増加を防いでいる日本は、世界から「謎」と呼ばれる成功事例と言えなくもない。

しかしながら、現実には、国民は政府に対し、強い不信感を抱いた。その一つの例は、PCR検査であろう。検査数が少ないのは、それまでの準備体制の不足もあるし、医療機関の負担を考えるとやむをえない部分があったのもたしかである。それにしても、PCR検査をめぐる説明不足が検査に対する独特の消極性として受け取られ、感染症拡大の現状をめぐる疑心暗鬼の一因となったことは間違いない。

これ以外にも基礎となるデータを十分に開示しないことが多く、結果として対策がしばしば一方的で唐突な印象を与えることにつながった。決められた方針の内容や決定経緯をめぐる説明不足、およびそれを検証するためのデータ開示が十分でないという日本政治の通弊が、ここでも明らかになったと言えるだろう。

責任の所在が曖昧なのも、日本政治の特徴だ。今回のコロナ対策で目立つのは、政府の専門家会議メンバーをはじめとする科学者たちであった。彼らは懸命に状況を分析し、対策を立てるだけでなく、テレビ出演やツイッターなどSNSを通じて、国民に語りかけ説得につとめた。さらには首相の会見に同席して、政治家以上に存在感を発揮した。が、そのような専門家の尽力に対して称賛の声が集まる一方で、必然的に国民生活や経済にまで立ち入らざるをえない彼らの発言に対して批判の声が高まったのも事実だ。

クラスター対策を中心とする方針への疑問が提起されることそれ自体は、むしろ健全と言えるだろう。現在の対策が絶対であるわけではない。その検証や、他の方策の可能性の模索は、対策の重要な一環である。とはいえ、批判の中には、突出して目立っている専門家たちに対する人格的な攻撃さえ散見される。その責任を追及する声も少なくないが、これは不当ではないだろうか。責任を取るべきは首相をはじめとする政治家であって、専門家たちではないからだ。

専門家は専門家として、己の知見と学問的信念に基づき発言し、提言するのが当然である。これに対し、そのうちどれを採用し、政策として実行するかは政治家の任務である。仮にその対応が誤っていたとしても、政治的責任を取るのはそれを採用した政治家であって、提言した専門家ではない（学問的責任は問われるが）。にもかかわらず、しばしば政治家たちは専門家の陰に隠れて、自らの責任を回避するのみならず、国民に対する説明までを彼らに丸投げする。結果として、方針に対する批判が政治家ではなく、専門家たちに向けられるという奇観を呈している。

専門家の知見を適切に活用できないのは、現在の政権だけでなく、日本政治に一貫して見られる傾向である。しばしば専門家の声を聞かず、その分野の素人である政治家だけで重要な政策が決定されている。かと思うと、都合のいいときだけ政策の正当化のために専門家が動員され、政治家は自らの責任を曖昧にする。専門家によって学問的に検討されるべき部分と、政治家が国全体を踏まえて総合的に判断すべき部分との仕切りが不明確なことが、その背景にあると言えるだろう。危機時はなおさらである。

7 民主主義のバージョンアップ

「安全と経済、そして自由」のトリレンマ状況において、日本政治は十分に説明能力をはたし、責任ある決定を下し、さらに国民の声に応答できるだろうか。フランスの政治学者ピエール・ロザンヴァロンは『良き統治』（古城毅他訳、みすず書房）において、現代の統治において求められる基準として、理解可能性・統治責任・応答性を挙げている。

理解可能性とは、決定過程の透明化を指す。なぜ、その政策が採用されたのか。いかなる決定過程を通じ、それが決まったのか。市民の知る権利に応えるべく、情報の開示や公開の討論が行われなければならない。今回のコロナ対応について言えば、問題に対し、どの専門家の提言をいかなる理由で採用したのかを明らかにし、その根拠となる基本的なデータを広く公開するという点で、大きな課題が残された。日々の感染者数や検査数など各種のデータについても、誰にでも利用しやすい形で、迅速に情報が提供されたとは言いがたい。今後、オープンデータと決定過程の透明性、さらに批判を含む社会からの多様なフィードバックへの対応能力こそが、コロナとともに生きる社会にとって不可欠の要素となるだろう。それなくして政治への信頼回復はおぼつかない。

統治責任は、個別の政治家の刑事責任とは区別される、政治的かつ集合的な責任である。贈収賄や公職選挙法違反などによって、政治家が責任を追及されるのは言うまでもないが、ここでいうのはそれと区別される次元の責任である。議院内閣制の下、内閣は議会の多数の支持によって成立し、その信任を失った場合に辞職することを指して責任内閣制という。内閣が議会に対して責任を持つことを意味するが、政治的指導者はその判断の結果によって、責任を問われることになる。今回のコロナ対応については、何がベストかわからない状況で、手探りの模索が続いた。それだけに、最終的な判断を行った首相や自治体の長の責任はきわめて大きかったといえる。判断の是非によって、場合によっては職を辞する覚悟がはたして、彼らにあったのか。事後的な検証が必要であろう。

応答性とは、人々の声に対して、どれだけ耳を傾け、それに反応したかを意味する。グローバル化が進むなか、格差が拡大し、「取り残された人々（Left Behind）」の不満や不安がポピュリズムの温床になっているとも言われる。既成の政党政治は、このような多様な民意への応答性を著しく低下させている。それだけに政党組織を「中抜け」するように、カリスマ的なポピュリスト指導者への期待が高まるわけだが、必要なのはむしろ、社会の多様性をよりよく可視化するような民主主義のバージョンアップであろう。コロナ危機を通じて、各国の政治指導者は、多様な国民の声に対しいかに反応し、説得的な語りかけをできるかについて、厳しく問われることになった。多くの情報に接した人々のリテラシーが高まると同時に、世界の他の国々の事例がしばしば比較された。今後も、どの国の仕組みがよりよくコロナを封じ込められるか、どの国の指導者の対応に説得力が感じられるかについて、熾烈な国際競争が続くだろう。

8　グローバル化の行方

今回のコロナウイルスの感染拡大が、グローバル化に対して急ブレーキをかけたことは間違いないだろう。各国は自国の国境を封鎖し、人の移動を厳しく規制した。そのような対応は徐々に緩和されつつあるが、コロナ以前の人の流れが回復するまでには、相当な時間が必要であろう。人の移動こそが感染拡大に直結するのであり、今後も、飛行機内における人と人との距離を含め、様々な規制が行われるはずだ。

物流に関しても、世界の各地から思う通りに物資を取り寄せることがいかに難しいか、人々はコロナ危機を通じて思い知らされたはずである。国際的な物流は、ひとたび今回のようなパンデミックが起きれば、つねに寸断されてしまう危険性がある。今後、特定の国にのみ依存することの危険性への認識が深まり、重要な物資について、自分に近い場所で生産することの意味も見直されるであろう。その意味で、グローバル化の流れは、間違いなく転機を迎えた。

だからと言って、世界が孤立主義へと向かうと決めつけるのは即断である。たしかに、各国の政治指導者は、今後当分、自国中心主義的な言動を繰り返すであろう。国際協力の行方も楽観を許さない。しかしながら、今回のコロナ危機は同時に、一国的な対応の限界も明らかにした。いくら自国内において感染拡大を封じ込めたとしても、世界のどこかで感染が再拡大すれば、その影響はやがて自国に及ぶ。世界中でウイルスを克服することなしには、自国の安全もありえないのである。その意味で、世界各国の運命はより密接に結びつき、他国について無関心でいることは許されなくなっている。

コロナがクローズアップさせた環境や衛生、さらに貧困や格差の問題はいずれもSDGs（持続可能な開発目標）に関わる。その意味では、コロナ危機によって、SDGsの達成に向けて、むしろグローバルな協力の必要性が高まったといえる。グローバルな連帯と各国における民主主義のバージョンアップをいかに結びつけていくかが、これから世界共通の課題となるであろう。

そのなかにあって、日本政治の行方はどうなるか。たしかに東日本大震災においても、日本社会が、そして日本政治が大きく変わるきっかけになると期待されたが、その期待は裏切られた。ある意味で、今回こそ、日本政治を変えない限り、未来は開けないままであろう。日本政治の真価が今、まさに問われている。

コロナ危機はたしかに民主主義とグローバル化を揺さぶった。しかしながら、これを契機に、より高度な民主主義と世界的連帯を実現することはできないか。そこに日本社会のみならず、人類の未来がかかっている。

（2020・6・20）

Ⅲ

「その先」を深く考える

Covid-19のパンデミーと食肉の問題

鈴木晃仁（医学史）

1 はじめに

Covid-19（新型コロナウイルス感染症）のパンデミーはいまだ進行中であり、あと数か月すると世界全体でのピークを迎えるであろう。その中で、中国、アメリカ合衆国、ヨーロッパ各国、日本などでは最初の第一波が終了したか、終了に向かっている。このような状況で、すでに世界各国で無数の問いが現れている。薬品とワクチンはどのように開発するのか、復興のための経済をどうするのか、重症患者が隔離される病院制度をどのように組み立て直すのか、コンタクト・トレーシングのアプリケーションをどのように利用するのかなどなどの数多くの問いであり、この論集でも触れられているだろう。

この小論は、医学史の視点をとって、Covid-19の発生の問題と拡大の問題という二つの問題を取り上げる。発生は、病原体であるCovid−19がどのように中国で発生してそこで定着したかという問題であり、拡大は病原体が世界にどのように広がったかである。どちらの主題も非常に大きく、雑駁な議論になってしまうので、さらに絞り込んで、どちらの主題においても中心的な核である食肉の問題を取り上げる。発生では、中国の海鮮市場の一角で売られた野生動物やその養殖の肉が中心であった。市場でその肉を売っていた人々、市場でそのような肉を買った人々、そして彼らの家族や友人たちに感染していき定着した。拡大に関しても、肉が中心的な主題の一つだった。２０２０年の3月からアメリカやヨーロッパの食肉加工工場でCovid−19の患者のクラスターが続々と発生し、その患者たちの家族や友人に感染した。いずれも肉の問題、肉を売ること、買うこと、食べること、そして食べられるように加工することが、Covid−19のパンデミーの重要な軸となっている。この発生と拡大と食肉の問題を、医学史の歴史の視点で分析して、歴史的な意味をさぐるのが本論の目的である。

発生については、20世紀の後半のＨＩＶ／ＡＩＤＳやエボラ出血熱と対比して、21世紀のCovid−19などを比較することができる。拡大については、21世紀のアメリカ合衆国やヨーロッパの食肉加工工場は、19世紀の末期から20世紀の前半までのアメリカにおける食肉工場と深く重なり合っている。１００年間から１５０年間のタイムスパンを取って、どちらにおいても、工場式農場の方法を発達させていること、法的・制度的に脆弱で貧困な移民労働者に依存していること、国際的な経済の状況と密接に関連していること、労働の状況がモダニズムの先端性を持つこと、人間と動物の関係が異次元的であり異様であること、そして食肉工場の外でも牛や豚や鶏の間の感染症が常に大被害を出しているような状況である。

2 発生について

現在もパンデミックを続けているコロナウイルスの一種であるSARS-CoV-2というウイルスによる感染症。その発生は中国の武漢市（ウーハン市）だった。武漢の男性が、2019年の11月に疾病にかかり、12月1日に医者に診てもらった。感染した場所は、ほぼ間違いなく、武漢の海鮮市場、正式名称は「武漢華南海鮮卸売市場」である。これは人口が1000万人を超える巨大都市である武漢市の中枢にあたる部分に存在し、武漢駅から約800メートルの位置にある。Covid-19の発生の特徴として、大都市の空間的な中枢であったということが一目で確認できる。

この海鮮市場には、海の幸だけではなく、野生動物やそれを養殖した肉を売る卸売店が数多く存在する一角も存在した。そのような肉の売り手であり、肉を扱ったり食べたりした男性が最初にコロナウイルスに感染したことが疑われている。それからすぐに数人の海鮮市場で仕事をしている人々が発病しており、いずれも肉とかかわる仕事をしていた。そして、本人は海鮮市場に行かないが、家族がそこで仕事をしているという人物が、同じような疾病にかかった。人から人に移る感染症であることが分かるだろう。しかし、Covid-19は必ずしも激しい症状や特徴を持った感染症ではなく、普通の風邪と似ているケースが多いため、インフルエンザが疑われるなどして時間が経過していた。

大きな転機は、２０２０年の1月前半に起きる。最初は２０１９年12月30日に、武漢の医師のリー・ウェンリアン（Li Wenliang）によるウェッブ上での告発である。リーは、武漢で現れ始めていた疾病は、２００２年11月に中国で発生して広まり、翌年2月に香港から世界に広まった感染症のＳＡＲＳに似ており、これに対して公衆衛生の手立てをとるべきであると主張した。彼の主張は当初は退けられたが、数日間で議論の方向が一転し、中国政府はこれがＳＡＲＳのような疾病の新流行であることを認め、それを前提として公衆衛生の政策を急速に展開させた。２０２０年1月12日には中国の研究所がコロナウイルスを同定し、その映像写真を公開し、患者たちを管理する体制を急ピッチでつくりあげ、武漢を軸にいくつかの市で患者を収容するための巨大なプレハブの病院を迅速に建設し、彼らが接触した人物たちを特定するシステムを構築するなど、非常に素早い対応をした。ＷＨＯの事務局長が訪問して、彼も強い印象を受けている。

ただ、患者が最初に医者に診てもらってから公衆衛生が発動するまで、6週間ほどかかっている。この6週間は、ＳＡＲＳの数か月に較べると短いが、やはり大きな遅れであった。そもそも急速に拡散する感染症が発生して拡大していく時期においては、数日という遅れが感染症をその街に完全に定着させてしまう。非常に有名な例では、１８９２年のドイツのハンブルクにおいて1万人が死亡した爆発的なコレラの流行がある。確認された最初の患者は、隣の街の水道業の職人で、１８９２年8月14日に発病し、激しい嘔吐と下痢をして、翌日の8月15日には、医師は「コレラ患者を発見した」という報告をしたにもかかわらず、当局がこの判断を退けた。ここから、8月16日には2人の患者、17日には4人の患者、18日には12人、19日には31人、20日には66人というすさまじいペースでコレラ患者が発見されていった。8月15日からのわずか数日間が、分岐点であった。医師が報告して当局が退けたというパターンは、ハンブルクにおいても武漢においてもほぼ同じである。

もう一つ重要なことは、大都市の市場が出発点となるというパターンである。都市と市場の重要性は、それまでコロナウイルスが引き起こした三つの世界流行と同じである。また、２０２０年6月に北京で起きたCovid-19の第二波の感染症も同じパターンである。２００２年のＳＡＲＳ、２０１２年のＭＥＲＳ、そして２０１９年の武漢のCovid-19、２０２０年6月の北京のCovid-19は、いずれも野生動物やそれを養殖したものを肉食用に大都市で売りさばく市場が核となっている。具体的には、おそらくコウモリの幾つかの種が出発点で、そのコウモリが中国ではハクビシンやジャコウネコ、中東ではラクダの血を吸うときにこれらの動物に感染して、それらの動物が食されるときに感染する。エコロジーとエコノミーが、大規模な市場で重なっている原理である。

この現象は、コロナウイルスの発生が大都市の中枢部にある市場における現象であり、別の地域で起きた新興感染症の発生とは大きく事情がちがうことを示している。特に、発生がかなりよく分かっているアフリカのサハラ以南で発生したＨＩＶ／ＡＩＤＳやエボラ出血熱とは明らかに異なる。もちろんどちらも人々が動物を食べて体内にウィルスが移動した点では共通するが、コロナウイルスの流行の出発点が大都市の市場にあるとすると、ＨＩＶやエボラ熱は、小さな集落で暮らしている人々が動物と出会ってそれを食べることが重要な出発点である。そこから、近代化と伝統文化がまじってこれらの疾病を定着させていく。その土地に住んでいる人々が売春による性行為を行い、体液の交換を含む仕方で葬礼を行うという形である。それだけではなく、その地域で行われていた西洋医療が、注射針などの消毒を怠って次々と人々に感染させた医原病としての可能性も、エボラにおいては確実であるし、ＨＩＶにおいても非常に高い。そのような複雑な事情と較べると、Covid−19は、大都市の市場の力によって拡散したと言える。

3　拡大について

このような発生・定着のあと、Covid−19は一気に世界へ拡大した。その理由は中国の春節である。旧暦での新年を祝う重要な行事である。２０２０年は1月24日から30日まで。世界中に移住した中国人たちが中国に集まって旧暦の新年を家族や隣人と祝い、そして帰っていくという巨大な移動がおきた。この人々の流れに乗ってCovid-19は世界に広まっていった。

その拡散の中で数々の現象が起きたが、この小論では、アメリカを筆頭にしてヨーロッパ各国、そしてブラジルなどの食肉加工工場で、労働者たちがCovid-19の患者となっていくという大量発生に注目する。2020年の4月以降、数多くの食肉加工工場の労働者の間でCovid-19のクラスターが大量に発生し、現在でもそれが続いている。日本ではそもそも肉類への依存がアメリカやヨーロッパ諸国と較べると少なく、この種の報道に触れる機会が少なかったのかもしれないので、少し丁寧に紹介する。

2020年の4月からアメリカ合衆国を筆頭に、カナダ、アイルランド、イギリス、イタリア、スペインなどのヨーロッパの地域、そしてラテンアメリカではブラジルにおいて、食肉加工工場でcovid-19の患者クラスターが連続的に現れている。通常は健康状態が優れているドイツにおいても、同じ現象が起きている。これらの情報は、BBC, Economist, Guardian, New York Times, CNNなどの国際的に強い発信力をもつメディアの全てが報道し、大きな特集を組んでいる。また、食肉加工工場におけるCovid-19の拡大を特別に取り上げたウェブサイトやWikipediaのレファレンス項目が作られている。7月9日のWall Street Journalでは、ある企業がこの問題を解決するために労働者にかわってAIを用いた食肉加工工場の写真までが掲載されている。

新型コロナウイルスの感染拡大後、ランジス・インターナショナルの食肉コーナーで働く食肉業者〔2020年5月フランス・パリ南部、ランジス〕　写真：ロイター／アフロ

北米とヨーロッパで食肉加工工場という同じメカニズムを用いて新興感染症が広がったという風景は、私たちにはあまり馴染みがない。感染症というと、貧困者が多い国で広まっており、富裕な国や地域では少なくなっているというのが基本的なイメージである。今回のCovid-19のパンデミーにおいては、先進国の食肉工場でクラスターが爆発的に増加したのはなぜだろう？

アメリカでもっとも被害が大きかったので、そこでの事例を見ると、食肉加工工場でのクラスターは次のような過程をたどっている。Wikipediaの詳細な項目の「肉産業に対するCOVID-19の影響」やウェブサイト「食肉と鶏肉」などによれば、2020年の3月31日に、アメリカＪＢＳ社（JBS USA）という巨大な食肉企業が、ペンシルヴァニア州のサウダートン（Souderton）の牛肉加工工場でCovid-19の患者が発生したため工場を閉鎖することから始まった。その後、４月２日に、これも巨大企業であるサンダーソン社（Sanderson）がジョージア州のマウトリー（Moutlie）で、かなりの数の労働者がCovid-19に感染したため工場を閉鎖した。４月７日には、二つの工場が閉鎖された。カーギル社（Cargill）がペンシルヴァニア州のヘイズルトン（Hazleton）にある牛と七面鳥の工場を閉鎖、タイソン社（Tyson）はアイオワ州のコロンブス・ジャンクション（Columbus Junction）の豚工場を閉鎖し、４月８日には、ナショナル・ビーフ・パッキング社（National Beef Packing）がアイオワ州のタマ（Tama）の畜殺場を閉鎖した。４月10日には、スミスフィールド社（Smith-field）がサウス・ダコダ州のスー・フォールズ（Sioux Falls）の豚肉の加工工場を閉鎖している。このようなペースで４月から５月にかけて食肉加工工場が一時的に閉鎖されることとなった。少数の患者だけが出た場合には、その労働者だけが休み、工場は稼動している。詳細はまだ不明だが、７月１日のイギリスのガーディアンの記事によれば、アメリカでは３００の食肉加工工場で３万６０００人の労働者が感染し、うち１１６人が死亡している。７月９日のWall Street Journalでは２００の工場で１万７３００人の労働者が感染し、うち91人が死亡したとなっている。アメリカの現在の工場は約５７００、労働者は50万人を超えるくらいであるので、３％から６％くらいの工場が閉鎖し、労働者が感染したことになり、そこからさらに家族などに感染することになる。これに酷似した現象は、カナダ、イングランド、アイルランド、ドイツ、オーストラリア、そして非常に被害が大きいブラジルなどで起きており、食肉加工工場に関する数多くのニュースや記事が存在する。

今回のパンデミーにおける重要なポイントを二つ指摘すると、原因の問題と労働者の問題である。原因に関しては、労働現場の空気調整の問題がおそらく最も大きい。密閉された空間での感染について、日本の多くの読者は、豪華客船やキャバレーやホストクラブなどでの高い感染率から感じているかもしれない。食肉加工工場においては、家畜の死体を解体していく労働の空間は、害虫や細菌の外からの侵入を防ぐために基本的に密閉されている。そのため、労働者が感染して咳をしたり飛沫を飛ばしたりすると、その空間全体にコロナウイルスが広がることになる。また、労働空間の温度が非常に低く、湿気を保つようにコントロールされているため、病原体にとって好適な空間でもある。もう一つは労働者たちの問題である。これも詳細な調査はまだ出ていないが、どのニュースを見ても、患者たちは移民労働者であることが多い。アメリカにおいては、各地において、メキシコやグアテマラなどの中南米からの移民やアジア・アフリカからの避難者たちが、食肉加工工場で働いている。ドイツにおいては東欧地域から来た、訓練されておらず言葉も通じない労働者がこの仕事についている。もともと、食肉加工業者は、急成長しているブラジルや中国が、アメリカの食肉企業と合併して発展していることが多い。さきほど言及したＪＢＳ ＵＳＡは、１９５０年にブラジルで設立されたＪＢＳ　ＵＳＡがアメリカの会社を買収した例であり、スミスフィールド社は２０１３年に中国政府が買収した例である。

４ 食肉加工工場の歴史

現在のアメリカなどの食肉加工工場が根深い問題を示していることの原型として、19世紀後半から20世紀初頭のアメリカの食肉加工工場を捉えることができる。今から１２０年前においても、食肉加工工場の労働者たちは悲惨で異様な状況にいた。また、ある意味で逆説的な現象であるが、この時期のアメリカの食肉加工工場は、農業という側面から文明が前進する重要な力を持っていた。農業の領域で、技術と医学と経済が力を合わせてアメリカを発展させ、世界の発展に貢献する新しい空間が食肉加工工場であった。農業というと、工業や商業と区別して、素朴な営みであるというレトリックはいまでも一般社会には通用しているが、そのような素朴さから完全に脱皮して、近現代型の農業と食肉加工工場を作り上げたのがアメリカであった。１００年から１５０年前のアメリカの状況をみると、21世紀の食肉加工工場を歴史的に理解することができる。

ヨーロッパにおける食肉の歴史は非常に長くて深く、食事は重要な地位と下賤な欲求という矛盾する性格を帯びてきた。重要で必要かもしれないが実は賤しい欲望でもあったという二重性を持っている。この二つの側面は、フランスの歴史学者のジャック・ル・ゴフが描き出したように、古典古代の伝統と、キリスト教の伝統という二つの系列が存在して、相互に影響を与え合ってきた。古典古代の身体論は非常に医学的な性格がつよく、知性と労働を担う頭脳と手足のどちらも、実は食事と胃腸に依存しているという医学的・道徳的な物語があった。古代ギリシアのイソップ（c.620-560 BCE）による寓話、古代ローマのリヴィウス（64/59 BCE-AD12/17）がつたえる政治家メネニウス（d.493 BCE）による平民への演説、ルネサンスの医師で文人のラブレー（1483／84-1553）の『ガルガンチュア物語』、フランスの文人であるド・ラ・フォンテーヌ（1621-1695）などが描いてきた。一方キリスト教では、身体の部位でいうと頭脳と心臓、機能でいうと知性と生命という二元論をとっていた。そこに手足と労働が入る場合もあった。これらは当時のキリスト教世界で意義あるものと捉えられた。一方で、内臓でいうと胃、腸、肝臓などは、欲求や貪欲さを示していた。中世初期の学者であるセヴィーリヤのイシドール（c.560-636）は、「快楽と感覚の欲求」と表現している。あるいは、君主が頭脳を、裁判官たちが心臓を象徴したときに、胃腸は商人であり銀行であった。キリスト教の価値観において、商人や銀行は必要ではあるが賤しい職業であった。

19世紀には、ヨーロッパや北米において、菜食主義が広まると同時に、肉食はそれよりも劇的に普及した。ドイツでは化学肥料の発展により穀物や芋類の栽培がさかんになり、アメリカでは穀物と並んでウシ、ブタ、ヒツジ、ウマ、ニワトリなどの動物を飼い、それを缶詰などに加工して大量に生産するという、農業の産業革命が起きたことはよく知られている。19世紀には広大な牧草地をアメリカ先住民から奪い、大規模な移民労働者により鉄道を建設して、テキサスやカリフォルニアなどと東部の世界をつなぐことができた。その中継地として、シンシナティやシカゴに巨大な畜殺場を建設し、それらとつながった食肉加工工場で移民の労働者が動物の死体から食肉を加工して国内・国外へと送り出していくというパターンである。

家畜の質的な変化も起きた。食肉できる動物に関して、社会の基本的な枠組みが大きく変更されたのである。たとえばアメリカ合衆国のブタは、コロンブスたちがこの世に上陸した時期に持ち込まれて非常に繁殖したが、19世紀においても食肉と食肉以外の利用の双方が重視されていた。ハムやベーコンや塩漬けの形でブタを食肉することももちろん行われていたが、ブタの大きな役割は人間の生活で出た食べ物のゴミやし尿を食べて清掃するというスカヴェンジャーであった。イギリスの小説家であるディケンズ（1812-1870）が1842年にアメリカ合衆国を訪問した時に、ニューヨークの街角でブタが人間の生活空間を清掃していたことに驚いているし、ヨーロッパを見てもそのような事例は多い。ブタや家畜の肉を食べることは富裕者の贅沢であり、貧民はもちろん、中産階級にとっても、それほど頻繁に行われることはなかった。

そのような形から、ヨーロッパでもアメリカでも、19世紀の末期から20世紀の初頭にかけて、食肉は大規模な産業化を遂げていった。ウシ、ブタ、ニワトリが優れた食肉となる家畜として特化された。巨大な敷地でそのような動物や鳥を肥育して、食肉用に工場で加工し、鉄道で消費地に送り、船舶を利用して大規模な輸出を行う方向に進んだ。そのために肉を加工する工場が作り出された。この時期には、アメリカの食肉生産が機械化され、鉄道、畜殺場、倉庫、冷蔵機能などと一体化した。冷凍の原理を用いて工場から出荷して、当時の市場で力を発揮するような低い価格で流通することができた。国内では鉄道で流通した。ヨーロッパには船舶に積んで、小麦などとともに輸出された。ことに豚肉を加工したハムやソーセージがドイツで安い価格で好評を得ていた。1870年代後半のヨーロッパと合衆国を比較すると、生産頭数ではヨーロッパのほうがやや多いが、一人当たりの生産頭数でいうと合衆国のほうが圧倒的に高い。価格としてはドイツ製のハムが1ポンド（0・45キロ）あたり1・05〜1・10マルクであるのに対してアメリカ製のハムは0・60〜0・64マルクであり、比較的貧しい家でも買えるようになっていた。

このような状況で、ドイツを中心としてヨーロッパ各国は、アメリカ製の豚やハムが汚染されているからと輸入を禁じる政策をとった。1879年2月にイタリア、9月にオーストリア・ハンガリー、1880年6月にドイツ、1881年になると、フランス、トルコ、ギリシアがこれに続いた。ヨーロッパ側が「汚染されている」というのは、動物の肉の中にトリキナ旋毛虫と呼ばれる寄生虫が住んでおり、それを食べると身体の中に入り、長期間そこにいて衰弱させる現象を指す。これがトリキナ旋毛虫症という疾病であり、おもにトリキナ虫（旋毛虫）がブタからヒトに移動することから発生する。トリキナ虫の幼虫は１㎜ほどで、動物の筋肉に寄生しており、その動物が食べられると、新しい宿主の体内で成虫になり、大きさは３～４㎜になる。そこで有性生殖をおこない、幼虫を作って次の感染機会を数年にわたって待つ。

19世紀のヨーロッパの都市圏では、大学病院と結びついた臨床医学と病理解剖が急速に発展していたため、患者の死後に死体解剖をして詳細に観察し、どこがどのように異常なのかを特定するようになった。１８８０年の段階で、トリキナ旋毛虫症の存在は完全に把握されていた。１８３５年には、ロンドンのセント・バーソロミュー病院の医学生であり、後に偉大な解剖学の教授となったジェイムズ・パジェット（１８１４－１８９９）と、大英博物館で比較解剖学の一方の雄であったリチャード・オーウェン（１８０４－１８９２）が、男性の死体の中に旋毛虫を発見した。１８４６年にはアメリカのフィラデルフィア病院の解剖医のジョゼフ・ライディ（１８２３－１８９１）が、ブタの死体を病理解剖して旋毛虫を発見した。１８５０年にはゲッティンゲン大学のエルンスト・ヘルプストがイヌとアナグマで動物実験をし、旋毛虫がアナグマの体内に寄生し、そのアナグマの死体を食べたイヌの体内に旋毛虫を発見している。その後も著名な医学者たちがこの現象にとりくみ、ベルリン大学の教授で、世界的な医学の指導者であったルドルフ・フィルヒョー（１８２１－１９０２）たちも取り組んでいる。そして1860年に、当時ドレスデン病院で医者であったフリードリヒ・アルベルト・ツェンカー（1825－1898）がこの謎を解いた。死亡した若い女性の体内で何が起きているかを示し、彼女と同じ世帯で同じブタ肉を食べた人々の身体からも旋毛虫が発見されたことから、寄生の原理を明らかにしたのである。

この科学的な発見は法律に反映され、市販する動物の肉から旋毛虫を排除することが近代化の重要なポイントとなった。1860年から77年までに、ヨーロッパ全体で3044人のトリキナ旋毛虫の患者が発生し、うち231人が死亡していた。1880年代のヨーロッパが、アメリカから輸入した豚肉には旋毛虫が多いと批判したのは、ヨーロッパでは1世代ほど前に確立された科学と法律のルールに従っていないという批判であった。イタリアは1879年2月に「アメリカ合衆国のシンシナティなどから運ばれる豚肉は全てトリキナ旋毛虫が寄生している」と宣言し、ポルトガルは翌3月に「トリキナ旋毛虫がいるアメリカの豚肉を返した」と宣言した。アメリカの業者たちは、これはドイツの食肉業者たちが嫉妬しているからだと主張してみたが、アメリカからの豚肉が寄生虫を持っていたことは事実であった。

さらに悪いことに、1880年から81年にかけて、アメリカではもう一つの豚の疾病「豚コレラ」も広がっていた。現在の日本では2018年から19年末まで豚やイノシシの間で感染症が広がったので、この疾病を憶えている読者もいるだろう。ロンドンの『タイムズ』（1881年2月19日）では、豚コレラがアメリカのイリノイ州で大流行し、70万頭の豚が死亡した報告書が提出されていると知らせている。アメリカの豚コレラはイギリスの議会で取り上げられるような大問題となった。

アメリカにとってこの問題は、経済的な視点からも解決しなければならなかった。1879年において豚肉の輸出はアメリカの輸出全体の10%を占めており、その90%がヨーロッパに輸出されていた。1881年のヨーロッパ各国による輸入禁止は大打撃であった。以来、諸国と粘り強く交渉をして、約10年後の1891年の3月に、豚を畜殺場で検査するという条件とともに輸出が許されるようになった。最初はドイツ、そしてデンマークやフランスが後に続いた。1891年の法律は象徴的なものでもあった。当時のアメリカにとって非常に重要な食肉加工工場を維持すること、医学に基づく実験の中で開発されたトリキナ旋毛虫という疾病の原因を取り除く管理システムをそこに導入すること。それに基づいてアメリカの経済の基盤、医学の発展への道筋をつけること。これらの近代化は、1893年に開催された人口100万人のシカゴの世界博覧会で高らかに歌い上げられていた。そこには芸術の中で動物を表現することも含まれていた。家畜たちを描く画家として最も著名であったフランスの女性画家、ローザ・ボヌール（1822－1899）を招待して表彰したのである。シカゴにとって非常に重要な畜殺の場面を描いたからかもしれない。

しかし、1891年以降も、食肉加工工場を軸とする食肉は、アメリカでもヨーロッパでもアフリカでも疾病の大流行を経験していた。1890年代には南アフリカで牛疫が起きて

90％の牛が死亡して破壊的な影響を与えた。アメリカでは、国内における巨大なスキャンダルが起きた。１８９８年のスペイン―アメリカ戦争で米軍の兵士に供給された牛肉や牛肉の缶詰が一つの中心である。この戦争はもちろんアメリカの勝利に終わった。１８９８年の８月に戦勝し、キューバから帰国した兵士の母親が、大統領のウィリアム・マッキンリー（１８４３−１９０１）に手紙を書いて、前線で支給された牛肉の冷凍や加工肉についての苦情を訴えた。大統領選を控えていたこともあり、マッキンリーは１８９９年2月に食肉加工工場の会社や軍隊に対して調査と報告を命じた。その中である将軍が、「くさりどめをした悪臭がする牛肉」と表現したことが批判の対象となった。悪臭を放ち、兵士たちも誰も食べず、海に捨てるという状態であった。牛肉の缶詰にも同じような悪臭があった。管理の不十分さと南アフリカなどの牛疫を背景にした事件である。

それよりも重要なのは、労働者たちにとって食肉加工工場は、労働者たちにとって、異様な光景を呈していたことである。食肉加工工場の付近で家畜たちが殺され、その死体が解体されてバラバラにされ、まぎれもない部品となる。工場において、それぞれの部品が特別な作業の空間に流れ込み、そこで労働者たちがその部品をさらに加工して製品をつくっていく。この作業の要所は動物の血があふれたような空間になる。そして、その労働者たちは、アメリカが発展する上で重要な役割を担った移民たちであった。移民たちはしばしばスラムのような地域で生活し、最初は言葉も不自由である。

この食肉加工工場をめぐる惨状を批判したのが作家・ジャーナリストで社会主義者であったアプトン・シンクレア（１８７８－１９６８）である。当時彼は25歳で、それ以前には南北戦争と奴隷制を批判した小説を執筆し、それと同じような形で移民の問題を扱った小説を頼まれ、１９０４年に7週間ほどシカゴの食肉加工工場を観察して執筆したのが『ジャングル』（The Jungle）である。そこではシカゴの食肉加工工場に付属する畜殺場で働くリトアニアからの移民であるユルギース（Jurgis）、そして彼と結婚する女性のオーナ（Ona）が主人公たちである。シンクレアが描いた、世界最先端の都市シカゴにおける食肉加工工場の労働者たちの惨劇について、シカゴの新聞であるトリビューンは、市の名声に大きなダメージを与えるようなシンクレアの記述は虚偽であると主張した。畜殺場で働くユルギースの生活を生々しく描いたこの作品の刊行を拒む出版社もあった。しかし、この記事は大反響を呼び、イギリスのジャーナリストのアドルフ・スミス（１８４６－１９２４）はシカゴを訪れ、シンクレアとも会談して、食肉加工工場における情報を医学雑誌ランセットに4回ほど連載した。シンクレアのこの本は、日本では産業化が追いついた時期である１９２５年に『ジャングル』というタイトルで翻訳出版された。訳者はアメリカに長期滞在したのち日本のプロレタリア文学を代表する小説家・論客となった前田《まえだ》河広一郎《こうひろいちろう》（１８８８－１９５７）である。

１９２５年から32年にかけて『ジャングル』は繰り返して刊行されている。

『ジャングル』が明らかにしたのは、悲惨を極めた状況である。おそらく牛疫を意識しながら、缶詰を作るときには、他の製品には使えない牛が用いられたという。年老いた牛、障碍を持った牛、病気にかかった牛たちである。その他の不良肉製品にも、床にこぼした肉の断片、ゴミ、木の破片などが入れられていた。このような食品加工会社への全面的な批判をこめて描かれた。

また、別の論客は、悪い個人がいるというのではなく、システムが悪い方向に進んでしまうようになっているのだと主張した。このシステムを変える必要があるという。そう考えると、食肉の問題を解決するのか、それとも社会主義に移行するのかという巨大な問題となる。実際、シンクレアの著作には、数多くの強調と歪みが存在し、本人も後者こそが本当の目的であり、食肉問題はその手段であると言い続けてきた。彼の有名なセリフが「『ジャングル』によって」私は市民たちの心臓に訴えようとしていたが、たまたま、その胃腸に働きかけたのである」［傍点、著者］である。心臓と胃腸の二元論には、キリスト教が心臓を高く評価し、胃腸を低く評価するというヨーロッパの伝統が流れ込んでいることをはっきりと見て取れよう。

シカゴの食肉加工工場の惨状は、この地を訪問した文人や評論家にも複雑で深い影響を与えた。この都市は動物の肉を使って、世界を牽引するような近代産業を発展させた。食肉加工工場は、経済的には進歩的であり、科学と医学により食肉を管理し、空間的な近代性が実現されている。その一方でそこは、人間が動物を殺戮し、その血と生命の破壊が行われる場所であり、そこで作り出されるのは、人間の胃腸の欲求を満たすものである。古代ギリシアにおける科学・医学の合理性と、キリスト教における宗教性。この二つの力が拮抗していたのである。もちろん前者を支持する人々もいたし、後者を支持する人々もいた。後者の代表の一人が、ラドヤード・キプリング（1865-1936）である。後にノーベル文学賞を受賞した彼が世界各地をめぐって書きつけた紀行文を一冊にまとめた『海から海へと他のスケッチ—世界紀行の書簡』（From Sea to Sea, 1899）に、それが典型的にあらわれている。彼は日本にも立ち寄り、太平洋をわたってサンフランシスコに上陸してアメリカ大陸を横断したが、その途中でシカゴに立ち寄った。この都市の誇りでもある食肉加工工場を訪問して、「一度見て、再び見ることは決してないようにしようと決心した」と綴っている。ことに畜殺場は、一度訪れたら決して忘れることがない。機械にのって動物たちの死体が続々と流れてきて、その身体に長いナイフを刺す。動物の死は完全なものになり、労働者も顔や体に動物の返り血を浴びる。顔を拭く暇もなく、次の死体が流れてきて同じことを繰り返し続ける。このような機械化された空間の中で肉が生産されるという異様な光景を、キプリングは目の当たりにしたのである。

5 これからの方向

この論文は、Covid-19が中国においてどのように発生し定着したかという問題と、アメリカがその拡散と大量発生の拠点にどのようにしてなったのかという問題を取り上げて論じた。どちらにおいても、資本主義化・産業化された世界における肉が大きな問題であった。中国に関しては、大都市の海鮮市場の管理の問題である。一方、アメリカに関しては、「原料を工場で製品にする」という意味での産業industryとしての食肉加工工場に、感染が広まる仕掛けが埋め込まれていた。歴史を振り返ると、大都市に依存していたこと、先端的な農業における産業革命、科学・技術・医学の発展、貿易規制の問題の解決と、繰り返される動物の疫病、そして移民たちの悲惨な労働環境などの問題が明らかになった。特に農業における発展に関しては、現在のCovid-19と強く結びついているという印象を受けるだろう。19世紀にはアメリカとヨーロッパの農業が近代化する中で浮かび上がった、明るい側面と暗い側面との不可分の結びつきが、21世紀のアメリカ、ヨーロッパ、ブラジルにも起きていたという印象を受ける。近い将来には中国においても、経済的な有効性、科学や医学に基づいた高度な技術、労働者が異様な風景にさらされることを背景にして、パンデミーが起き続けるだろうという印象を受ける。

それをどうすればいいのだろうか。どうすれば解決できるのだろうか。食肉加工工場の問題については、動物の問題、食肉の問題、労働の問題などに関して、科学や医学や栄養学はもちろん、政治学、経済学、倫理学などさまざまな専門分野で得られた知見を統合して、新しいモデルを作ることが重要である。現在では、教養がある人物たちの多くが、肉食から菜食への傾向を持つこと、少なくとも菜食への傾きを持っていることは間違いない。肉食について深く考えてみる機会である。また、大都市での新しい食肉文化への調整はもちろん、農村部も考えてみる必要があるだろう。ことにヨーロッパのイタリア、ドイツ、オランダ、イギリスなどの農村地域を見ると、巨大な資本主義ではなく、ＥＵの保護によって昔の農村の構造がある程度保たれているのを感じる。イタリアの農村部では、美しい中世の農村に身を置いているかのような幻想すら感じる。その実態は何だろうと訊ねてみることができるだろう。

医学史家の多くは、食肉の機械化と現代世界のパンデミーが常態化するような事態を避けることはできるだろうと考えている。文明の深い部分に食い込んでいる大きな問題をきちんと把握して解決していくことは、現実問題として可能であったし、そして、今回も可能であろう。たとえば医学史家のジアンナ・ポマータは、後期中世からルネサンス・宗教改革期に大流行したペストを乗り越えて、現在でもつかわれている隔離などの公衆衛生のシステムが導入されたように、今回もパンデミーを乗り越えることができるだろうと言っている。医学史家のアン・ハーディは、19世紀のロンドンの大都市化がもたらした健康の危機を、１８８０年代の上下水道の整備や地元の食料やケアの整備で乗り越えた市民たちの自己意識が重要であったと主張している。21世紀のCovid-19のパンデミーにおける日本は、国際世界の中で非常に高いパフォーマンスをあげることができた。患者数についても、死亡数についても、ほぼまちがいなく、世界でも指折りの少なさで乗り切ることができた。この問題については、きちんとした自覚を持ってもよい。

その一方で、このパンデミーにおける世界の異様な風景を消し去って、忘れてしまってはいけない。それらを正面からとりあげて、多くの課題が含まれていることを議論すべきである。その中でも歴史性は重要である。食肉加工工場、畜殺場、殺された動物を解体すること、移民や貧民の悲惨な労働と文化的な孤立、これらの複雑な問題をどうすればいいのか。アメリカの歴史、そして場合によっては日本の近代化の歴史をみて、冷静に議論をする必要がある。それがないと、このパンデミーは、歴史学者のクロスビーが、もう一つの巨大なパンデミーであったスペイン・インフルエンザについて記述したように、「忘れられた感染症」になってしまう。私たちは、このパンデミーを機に明らかになった、古代から近現代にまで続いている肉食や農業の複雑さを忘れてはいけない。それらを、専門領域を異にする数多くの研究者と市民の力で、合理的に、社会的に、そして文化的に議論していかなければならない。

参照文献

Bakhtin, M. M. フランソワ・ラブレーの作品と中世・ルネッサンスの民衆文化: 川端香男里訳: せりか書房, 1980.
Brillat-Savarin et al. *The Physiology of Taste, or, Meditations on Transcendental Gastronomy.* A.A. Knopf, 2009.

Crosby, Alfred W. 史上最悪のインフルエンザ：忘れられたパンデミック　西村秀一訳　みすず書房，2004.

Cronon, William. *Nature's Metropolis: Chicago and the Great West.* W. W. Norton, 1992.

Davis, Mike. *The Monster at Our Door: The Global Threat of Avian Flu.* New Press, 2005.

DeMello, Margo. Animals and Society: An Introduction to Human-Animal Studies. Columbia University Press, 2012.

Evans, Richard J. *The Coming of the Third Reich.* Penguin Press, 2004.

Evans, Richard J. *Death in Hamburg: Society and Politics in the Cholera Years,* 1830–1910. Penguin, 1990. Penguin Books.

La Fontaine, Jean de et al. "The Limbs and the Stomach", *The Complete Fables of Jean de La Fontaine.* University of Illinois Press, 2007, pp.57–59.

Fresco, Louise O.; translated by Liz Waters. *Hamburgers in Paradise: The Stories Behind the Food We Eat.* Princeton University Press, 2016.

Le Goff, Jacques. "Head or Heart? The Political Use of Body Metaphors in the Middle Ages." *Fragments for a History of the Human Body,* edited by Michel Feher, Ramona Naddaff and Nadia Tazi, Zone 1989, 12–26.

Honigsbaum, Mark. *The Pandemic Century: A History of Global Contagion from the Spanish Flu to Covid*–19. Penguin Books, 2020.

Joy, Melanie. *Why We Love Dogs, Eat Pigs, and Wear Cows: An Introduction to Carnism.* Conari Press, 2010.

Keiffer, Katy. *What's the Matter with Meat?* Reaktion Books, 2017.

Morawska, Lidia and Donald K Milton. "It Is Time to Address Airborne Transmission of COVID-19." *Clinical Infectious Diseases*, https://2020, doi:10.1093/cid/ciaa939.

Nestle, Marion. *Unsavory Truth: How Food Companies Skew the Science of What We Eat.* 1st ed Basic Books, 2018.

Oldstone, Michael B. A. *Viruses, Plagues, and History: Past, Present, and Future*. Rev. and updated ed. edition, Oxford University Press, 2010.

Silbergeld, Ellen K. *Chickenizing Farms & Food: How Industrial Meat Production Endangers Workers, Animals, and Consumers.* Johns Hopkins University Press, 2016.

Simoons, Frederick J. *Food in China: A Cultural and Historical Inquiry*. CRC Press, 1991.

Spinage, C. A. *Cattle Plague: A History*. Kluwer Academic/Plenum Publishers, 2003.

Taylor, A. J. P. *The Struggle for Mastery in Europe, 1848–1918*. Oxford University Press, 1971.

Young, James Harvey. *Pure Food: Securing the Federal Food and Drugs Act of 1906*. Princeton University Press, 1989.

それ以外に本文でもふれた数多くのサイトを参照した。一般メディアや雑誌では BBC, Economist, Guardian, New York Times, CNN, Wall Street Journal などを参照した。また、専門性が高いものでいうと、以下の1つのサイトが特に優れていた。

Impact of the COVID-19 pandemic on the meat industry in the United States https://en.wikipedia.org/wiki/Impact_of_the_COVID-19_pandemic_on_the_meat_industry_in_the_United_States

Meat + Poultry

https://www.meatpoultry.com/

この食肉産業の会社の共同体が一覧表と地図を作っているので、そちらも参照されたい。

https://www.meatpoultry.com/articles/22993-covid-19-meat-plant-map

（2020・7・20）

「ポスト・コロナ・エイジ」を考えるためのエクササイズ

神里達博
（科学史、科学技術社会論）

1　序論の、序論

寓話

こんな情景を想像してみよう。

なにやらコビトたちがせわしなく働いている。コビトたちは、大きな歯車や、シャフト、ネジなどを運んだり、持ち上げたり、それぞれを組み合わせたり、とにかく動き続けている。あなたもそのコビトたちの一人だ。コビトは、それぞれに「役割」があるが、どういう意味を持っているのか、いつまで続くのか、自分では分かっていない。しかし、それがコビトたちの日々の暮らしそのものであり、コビトの人生の全てがそこにある。今日もまたあなたは、ぶつぶつ文句を言いながら、時には真面目に、時には手を抜きつつ、その作業を続けるのだ。

ある日、一人の若いコビトが、「私たちは何をしているのだろう？」とつぶやいた。別のコビトは、「そんなことは、考えても仕方がないだろ」と笑う。それでも、その若いコビトは考え続ける。「これは、もしかすると何か大きな『仕組み』を作っているのかもしれない。そしてもうすぐそれは完成し、突如として動き出す。そうに違いない！」と「予言」をしたのだ。

多くのコビトは別に気にも留めない。一人の長老のコビトが、こんなことを言う。「何を言っているんだ。俺は生まれてこのかた、ずっとここでこのギザギザした丸い板を運んできた。明日も運び、あさっても運ぶだろうよ。老いさらばえて動けなくなるまで、俺はこの仕事を続ける。それが俺たちの役割ってことだ。それ以上のことを考えても、仕方ない。そういうもんだ。」そんなことを言う。

それでも、若いコビトは気になって仕方がない。これはきっと何かとても大きな「機械」のようなものなのだ。それがいつか必ず動き出す。それはいったい、いつなのだろう。しかし、翌日も、またその翌日も、何も起きない。やっぱり自分の勘違いだったのだろうか。

それから何日、何カ月、何年が過ぎただろうか。ある日、コビトたちが、妙に細長い部品を苦労して差し込もうとしていた。手間取ったが、なんとか仕事が完了した。

するとその瞬間、「仕組み」が動き出した。それは、あれよあれよと言う間に、コビトたちの世界にとんでもなく大きな変化をもたらし、その生活は一変することになったのである。

もちろん、新しい状況になっても、コビトたちにはそれぞれに日常があり、また新しい役割が生まれてくるわけだが、それでも、自分たちが何をしていたのかをおぼろげながら知り、そしてその変化がいかなる結果をもたらすかを知ることになってしまったコビトたちは、もはや、ただ部品を運んだり、組み立てたりしていた日々には、戻れない。否応なしに、新しい世界に投げ込まれ、それを生きていくよりないのだ。

＊

世界の仕組み

私たちが生きるこの世の仕組みも、一つの機械時計のようなものと考えられるかもしれない。さまざまな歯車が適切に組み合わさり、精密に相互依存する体系は、その部品のどれかひとつが欠けても、うまく働かないだろう。もちろん、進化論を信じるならば、この世界に設計者《アーキテクト》は存在しないのだから、そもそもどういう状態ならば「うまくいっているか」はよく分からないのだが。それでも、少なくとも人間社会というものは、いつもなんらかの秩序を用意するもので、ヒトやモノの流れが滞りなく進んでいれば、大雑把に言って「うまくいっている」と考えてよいのかもしれない。

逆に、そのような機械時計を新たに組み立てている時は、最後の部品が適切な場所にピタっとはまるまでは、動き出すことはないだろう。必要条件が全て揃うまでは、結局のところ、その仕組みの持っている機能も意義も、よく分からないのだ。

さて、世界がこういう性質を持っているとすると、ものごとは、段階的、階段状に変化するはずだ。実際、私たちは、色々なところで類似の経験をしている。卑近な例では、語学の学習などが典型だろう。毎日、同じ時間、リスニングを続けても、とりあえず何も変化はない。しかし、2週間なり、1カ月なり続けていると、ある日突然、「聞こえるように」なる。何を言っているのかさっぱり分からなかった外国人の言葉が、意味のあるかたまりに分かれて聞こえるようになるのだ。

これもおそらくは、いくつかの必要条件が揃うことで、ある日突然、なんらかの機能が動き出すということだろう。それは、「言葉を聞き取る」という作業が、いくつかの要素から成り、互いに関係しあっている「集まり」だからである。

通貨のやりとり、電力の送電網、あらゆる生物種の関係性、地球上の水循環、およそ私たちの生きる世界は、こういう相互依存のネットワークに満ちている。これを、「システム」という。日本語でいえば「系」、絡まった糸のように、ものごとがつながり合った姿を指す。世界は、要するにシステムだ。だから、変化は急に訪れる。

周期と振幅

私は数年前、「時代の節目」という言葉をキーに、あるメディアで一年ほどの連載をし、それらを新書にまとめた。「文明探偵」なる人物が、時代を駆動する「兆し」を探すという、ちょっと変わった本であった。残念ながら、あまり話題にもならなかったが、その本の最後に少し触れたのが、この「システム」の話である。

実際、人類の歴史を見渡してみても、世界は、段階的・階段状に発展していくように見える。変化が少なく、同じようなことが繰り返される時期と、急速に変化する時期がある。もちろん、動きが少ないように見える時にも、それなりに変化はあって、調べてみると、当時の人たちは、あとから見れば「些事」に大騒ぎをしていたのだなと、分かることもある。

そのような急変化する時期を人は「時代の節目」と呼ぶ。節目というと時間的に短いようにも感じられるが、案外、長い時間をかけて変わる節目もあるし、本当に急速に変化していく場合もある。

重要なのは、その変化の「規模感」であろう。これは、自動車のマイナーチェンジとフルモデルチェンジの関係を想像すれば分かりやすい。さらには、フルモデルチェンジを越えた、全く別のシリーズの登場や、そもそもガソリンエンジンではない自動車など、「変化」の規模も、多段階的である。しかし、面白いのは、その場にいる人にとっては、どれも「時代の節目」に見えるという点だ。自分が買った車種のモデルチェンジは、それがマイナーチェンジであっても、フルモデルチェンジであっても、同じくらいがっかりする、という比喩で、伝わるだろうか。かえって「もうガソリンエンジン車は終了です」くらいの大変化のほうが、諦めもつくかもしれないが。

そういうわけで、「時代の節目」には、「ランク」の違いがある。では、それを規定するパラメーターは何だろうか。色々な考え方があるだろうが、「何年に一度の変化か」＝周期と、「変化の幅」＝振幅の、二つの値に注目するのが、最も自然だろう。興味深いことに、この世界で起きることの多くは、「振幅の大きな『すごいこと』は滅多に起きない」という法則に支配されている。

たとえば、小さい地震は頻繁に多数起きるが、大きな地震は滅多に起きない。コップが割れた時の破片の大きさと、その破片の数も、似たような関係になる。株の暴落の頻度と下げ幅、都市の規模とその数なども、同様だ。そして、その頻度と規模は、ある統計的な分布にあてはまる。些細なことはよくあるが、どデカい事件はたまにしかない、ということだから、非常にアタリマエなのだが、同時に、些細な事件もどデカい事件も、割に「カタチ」が似ているところが面白い。

ちょっと偉そうな言い方をすれば、この世界には、フラクタルな性質を持っているものが多いので、スケールが違っても、しばしば形状は似ているのだ。大河の流れも、あなたが子供の頃に砂場で作った小さな水の流れも、同じように支流があって、またその支流がさらに分かれていて、というような、同じようなカタチをしていることを、思い出してもらえばよい。

ともかく、そのシステムの内側で暮らす者は、冒頭で登場したコビトのように、変化の予兆が見えないことが多い。永遠に続くかのような退屈に支配されている時期もあれば、あれよあれよという間に、全てが連鎖的に変化していく時期もある。歴史をひもとけば、古今東西、色々なところにそういう例を見いだすことができるだろう。

そして、ポイントは「段階的・階段状」という点にある。そのランクに対応するシステムにとっての、「最後の部品」がはめこまれた時に、「チェンジ」は起き、「時代の節目」が目の前に現れるのだ。

新時代を開く鍵

前置きが、だいぶ長くなった。

私は、新型コロナウイルスこそが、今回のランクの「チェンジ」における、最後の部品、新時代を開く鍵ではなかったか、と思うのだ。

もちろんこの病気は、人々の命を奪い、世界中を混乱に陥れ、時には対立や差別を引き起こす、忌まわしく不吉な悪疾である。なんとか世界がこの流行を封じ込め、かつてのようなリズムを取り戻すことができればと、私も思う。

しかし、現実が期待通りに行くとは、限らない。「ニューノーマル」という言葉も一般化してきた。どうやら時代は、変わってしまったらしい。そのこと自体を否定する人はもう、ほとんどいないだろう。

もしそうだとすると、すぐに私たちが知りたくなるのは、それが「何年に一度の大変化」なのか、ということだろう。

たとえば、ここのところ毎年のように各地で、「30年に一度の台風」「50年に一度の大洪水」などが起きている。毎年50年に一度だと、もはや50年に一度ではないはずなのだが、しかし「500年に一度の豪雨」という言葉は聞いたことがない。理由は簡単で、過去500年間の豪雨の記録が存在しないからである。当然、周期は知りようもない。

雨の記録はないが、津波や地震については、分かることがある。人間が記録をしていなくても、大地に刻まれた破壊の証拠を読み解くことで、その周期が判明する場合があるからだ。そのため、2011年の東日本大震災も、おおむね千年に一度くらいの「ランク」の大事件だったことが、分かっている。

自然現象はともかく、社会的な変化について考えた時、今私たちは、何年に一度の「すごいこと」に見舞われているのだろうか。

もちろん、この変化のランクがどの程度の周期で起きるものであるかは、すぐには判明しない。コロナが拡大し始めた時は、「リーマンショック以来の」という言葉を時々聞いたが、経済指標だけを見ても、そのレベルはとうに超えてしまっている。おそらく最短でも、「冷戦後」という時代が終わる、という程度の周期の「節目」であることは、直感的には同意いただけるのではないか。

全くの偶然なのだが、冷戦終結は、昭和の終わりとほぼ重なった。従って、「冷戦後」というのは私たちの社会にとっては「平成時代」と呼ぶのがちょうどよい。そして、これもおそらく偶然に過ぎないのだが、「令和時代」はコロナとともに始まった。このような「偶然の一致」について深掘りしても、おそらく有益な議論はできそうにない。だがともかく、もし今が「時代の節目」であるならば、前の時代、つまり平成というものが、いかなる時代であったのか、改めて考えてみることで、次の時代の輪郭を、おぼろげながらも描く材料にできるかもしれない。

いずれにせよ、この問題は、長い道のりになる。私の予測では、最低でも向こう20年くらいは影響を与える事件ということになるから、考えを深めていくのも「段階的・階段状」になるはずだ。

もちろん、こんなことを考える「専門性」は、私には全くない。しかし、だったら誰の専門分野なのか、と考えると、すぐには思いつかない。ならばやってみるか、ということで、非常に雑な、あらっぽい話になるが、まずは準備体操《エクササイズ》として、少し、そんなことを考えてみようと思う。おかしな議論、無知に基づく混乱など、多々不備があるとは思うが、これはまさに「叩き台」、むしろお気づきの点を読者の皆様にご指摘いただければ幸いである。

2 平成とはいかなる時代であったのか

オープンとクローズ

日本の歴史をごく大雑把に眺めてみると、盛んに外国と交流をする時代と、すっかり引きこもってしまう時代が、交互にやってくる。遣唐使をやめて国風文化の花が開くとか、安土桃山期に広がったアジアのネットワークが、江戸期に入ると一気に衰退するとか。昔は「聖徳太子」と習ったが最近は「厩戸王《うまやとおう》」と教えられているらしい、あの有名人に儒教を教えたという師匠「覚哿《かくか》」は、百済系の渡来人というのが「公式見解」である。だが、彼は謎の多い人物で、ササン朝から流れてきたペルシャ人であったという説すらある。そんな話さえ真実味を持ってくるほど、「開いている」時期の日本は、とにかくグローバルだったのである。

この海外に対する扉の「オープン／クローズ」を支配する原理がなんなのかは、なかなか難問だ。まあ、そもそも、開いたり閉じたりができるのは、島国ならではという気もする。大陸では、拒んでも勝手に来てしまうから。とはいえ最近では、世界史のなかで日本を捉え直す研究がとても面白い成果を出しつつある。島国とはいえ、さまざまな相互作用のなかで、ダイナミックな歴史を積み重ねてきたのである。さらにいえば、そもそも「日本」という国の輪郭は、決して安定的に定まっているものではないし、「国」という言葉によって指すものも、時代によって異なる。せいぜい、「倭・大和・日本、などと呼ばれてきた島々の歴史」があるだけだ。

とにかく、非常に概略的な捉え方ではあるが、徳川政権が成立するころまでの開放的な時代から、基本的には閉鎖的な江戸期を経て、明治から昭和にかけての膨張時代が来る。そして、また敗戦によって、「結構、閉鎖的な時代」となり、それが昭和の終わりまで続くが、これがちょうど冷戦期と重なる。

ついこの間まで続いていた「平成」という時代は、要するに、開国を要求され続ける時代であったと言えよう。とにかく、開かなければならない。開くことは正義であり、開かぬものは抵抗勢力とレッテルを貼られた。これはほとんど、神経症的と言ってもいいレベルだったかもしれない。グローバル・スタンダードという言葉が最高の法規として、私たちの社会のあらゆる側面を侵食していったのだ。


グローバル化の暴力性と日本の「急所」


もちろん、これは日本だけの現象ではない。グローバル化は世界的に見ても、国家というものが企業活動によって相対化されていく側面を持っており、程度の差はあれ、ある種の暴力的な介入が続いたのだ。

また、この事態が「自由主義の勝利」という形での冷戦終了に伴って拡大したものであったがために、「世界標準」といってもそれは事実上、「米国標準」あるいは「アングロサクソン標準」の色彩が強いものであったのは周知の通りである。

世界的には、このような事態に対抗する思想も立ち上がっていく。たとえばアントニオ・ネグリとマイケル・ハートが、「マルチチュード」という概念をスピノザあたりから発掘し、新たな〈帝国〉として立ち現れるグローバル資本主義に対抗する民主主義を構想した。さらに2008年のリーマン・ショックの後は、グローバル化の矛盾が先進国でも一気に噴き出し、例えば金融資本主義の象徴としてのウォール街を「占拠せよ」、といった運動が注目を浴びたり、フランスの経済学者トマ・ピケティの『21世紀の資本』がベストセラーになったりした。

しかし日本については、こういう「新しい動き」はあまり流行《はや》らなかった。その理由は色々指摘できるだろうが、個人的には、最大の原因は、非常に重要な「例の問題」が放置されてきたことにあるのではないかと感じている。それは、加藤典洋氏がいみじくも指摘した、「敗戦をどう受け止めたか」という問題である。これにより戦後の日本は、「国家」ということについて、正しく主体的に考えることができなくなっており、同時に、「米国」という存在に対して、適切な距離感をもって受け止めることができない精神状態になっていたとされる。この問題は、現代日本にとって、あまりにプリミティブな問題であり過ぎるためか、一部の識者を除いて、ほとんど真正面から扱われてこなかったように見える。その結果、この状況を最も適切に説明することに成功している知性は、正統派の政治学よりも、むしろ文芸評論や精神分析学といった領域であるように思うのだ。

詳しくは『敗戦後論』や彼の一連の著作に譲るが、平成のグローバル化は、世界共通に経験するその本質的な「暴力性」に加え、日本社会が「敗戦」に伴う厄介ごとを先送りにしてきたことに起因する、ある種の構造的な脆弱性が、悪い形で重なりあい、特に大きなダメージとなったのではないか、というのが私の個人的な見立てである。

リスクマネジメントの相次ぐ失敗

これは、具体的には大きく二つの側面で、可視化されたように思われる。一つは、あらゆる意味でのリスクマネジメントに失敗し続けたという点であり、そしてもう一つは、先進諸国の中でも「ぶっちぎりで」成長しない30年を生み出した、という点である。それぞれ「守備」と「攻撃」の失敗であるが、両者は互いに結びついている。

少し具体的に思い返してみよう。１９９５年の阪神大震災とオウム事件の重なりに始まり、高速増殖炉「もんじゅ」の事故から東京電力福島第一原子力発電所の事故に連なる原子力災害の流れ、またバブル後の対応の遅れにより泥沼化していった金融危機、また周辺諸国との安全保障上の問題が解決されるどころか、かえって軋轢を深刻化させてきたこと、地震や台風などに毎年のように翻弄され、各地で多数の犠牲者を出し続けてきた自然災害に対する、ハード・ソフト両面での脆弱さ、そして高齢化社会の到来が確実であるにもかかわらず、ほとんど何も対応が進まないままに、財政赤字がどこまでも積み上がっている現状。

これらに共通するのは、国家として責任をとる、これはつまり権力の発動を伴うわけだが、そのような決断をする主体がほとんど立ち現れることがないままに、場当たり的かつ現場任せの対応で、なんとかやり過ごしていく、しかし、そのようなやり方は、せいぜい局所最適であって、全体としては矛盾と不効率に満ちたものになり、「わけがわからない社会」になっていく、という姿である。

とりわけ、リスクマネジメントに負荷がかかったのも、理由があることだ。なぜなら、リスクとは、優れて近代的な思想であるからだ。これは、自由のもとでの決断に伴う、「好ましからざること」を意味する。つまり、リスクと自由と責任は、同時に降りてくる。それこそが近代の本質だと言っても良いほどだ。しかしこの国には、結局のところ、西洋近代的な意味での責任者＝権力者がいない。だから自由もない。あるのは、津々浦々に至るまでの、持ち場、持ち場で「役割を果たす」無数の人々である。これはミクロにはうまくいくことも多いだろう。生真面目で、同調圧力に弱いとされるこの国の人たちは、「そばにいる他人の目」を気にすることには神経を使うからだ。だが、その結果が全体としてどういう影響を及ぼすのか、きちんと考えて計画している人は、結局、どこにもいない。

経済の停滞

「だからこうなった」と言ってよかろう、１９９０年に日本は世界の名目ＧＤＰのうち約14％を占めていたが、２０１８年には6％を割ってしまった。２０００年には一人あたりの名目ＧＤＰで世界第2位を記録したが、２０１８年には26位に転落している。世界中がクビをかしげる「日本の異常な低成長」は、そもそも、「昭和の異常な高度成長」と実は理由が同じなのかもしれない。だから、「よそさま」には理解が難しいのだ。

そんな気の毒な日本も最近は、政策的に通貨の価値を下げることで輸出競争力を維持しようとし、また、教育や研究、福祉や医療といった「社会の基盤」を切り詰めることで、当座の帳簿の帳尻をごまかそうとしてきた。「幸いにして」、平成時代は中国が生産力を高めていったことから「モノ」が余るようになってきたので物価は上がらず、実質的な生活水準はあまり下がらなかった。これは不幸中の幸いか。周知の通り、「希望のない国」では人口も増えず、高齢化がどこまでも進む。

通貨の価値が下がれば、本質的に輸出産業である観光業が有利になる。その結果、最近では「インバウンド」という言葉が流行し、民泊が増えた。特に、一部の地方都市や百貨店にとっては、まさに「最後の生命線」であって、インバウンド拡大こそが何よりも重要な政策課題であると主張する声も少なくなかった。

しかし一般に観光業に頼るというのは、資本蓄積が足りない途上国の手段である。そうやってなんとかお金を集め、より生産性の高い産業に投資し、「近代化」を進めていくというのがかつての標準的なやり方であった。フランスのように先進国でありながら観光の比重が大きい国もあるが、少なくともつい最近まで、フランス政府は観光産業を重視していなかったことは、案外、知られていない。ところが日本は、政府が先頭に立って、時代を逆回転させようとしているようにも見える。

もちろん、私たちは近代化を一度経由している（はず）、なので「近代化」ということ自体をまな板に載せて考えるべきフェイズにあるという指摘もまた正しい。実際、先進的で高付加価値の観光業を模索する試みもいくつか見られるので、そこは否定すべきではない。だが、それができるのはやはり少数のリーディング・カンパニーにとどまるだろう。

また、経済が縮小するなかで、「シェアリングエコノミー」に注目が集まった。これは日本だけの流行ではなく、確かにエコロジカルではあるのだが、昭和の「古い」価値観からすれば、なんとも地味でぱっとしない流行に見えるだろう。しかし、シェアハウスやカーシェアリングなど、さまざまなものをシェアする動きが広がっていく。

デジタル化の遅れと「勤勉革命」

とはいえ、平成日本がまるで成長しなかったことの背景として、最も直接的な要因は、デジタル化に完全に乗り遅れたことである。結局、昭和の日本は工業製品の輸出競争力が非常に強かったがゆえに、「ゲームのルール」が変わったことに適応できなかったということだろう。いつの時代も、過剰適応して成功体験を引きずることは、時代の変化に取り残される、最大の原因になる。

そもそも、モノを作って売ることと、情報システムをプラットフォームとして組み立て、その「仕組み」から提供される「サービス」を通して利益を生むということは、絶望的なほどに必要とされる能力が異なるし、何よりも日々の仕事のやり方が全く違う。なかでも、最も大きい障害となったのは、日本社会の底層を流れる、ある種の奇妙な「倫理観」と抵触したことではないだろうか。それは、「サービスは無償であるべき」という思想である。

経済史家の速水融《はやみあきら》はかつて、「勤勉革命」というテーゼを示したことで知られている。彼は、人口統計から経済を読むという手法の先駆者だが、代表的な研究に、濃尾地方における家畜の数と人口の推移についての分析がある。彼はそこで奇妙な事実を見つけた。ヨーロッパの近代化においては、人口に対して資本である「家畜」の数が増えることによって経済が発展していく。ところが江戸期の日本では、最初は両方とも増えるのだが、途中で人口に対して家畜が減る局面が生じていたのだ。

この不思議な現象は、以下のように説明される。江戸時代の初期は、新しい土地が開墾され、耕地面積が拡大していったが、18世紀半ばくらいには一旦、頭打ちになる。しかし人口は増えていったことから、家畜の餌と人間の食糧が競合してしまった。そのため、家畜を減らすことになったが、それまで家畜が行っていた労働を、人間が代替するようになったというのだ。この際に、勤勉に働くことによって、生産性を上げようとする「勤勉革命」が起きたというのである。

これは、確かに、人手が余っている時には合理的な行動なのだが、どうもこれがある種の倫理観のような、彼の言葉を使えば「mentalités（マンタリテ）」＝「心性」として定着し、現在に至っていると考えられるのだ。

実際今でも、一般に「おもてなし」こそが道徳的に正しいことであり、「手抜き」は非難されるべきものと考えられている。またそれに随伴して、モノを大切に使うことも推奨されることが多い。しかしこれは逆に言えば、ヒトを大切にしない社会だとも考えられる。

今や、この社会では、経済的に見ても最も重要なのは、「ヒトそのもの」なのだが、ヒトが余ってモノが不足している時代の考え方を引きずっているらしいのだ。これこそが、一向に労働時間が減らずに生産性が上がらないことや、いつまでも成果主義が定着しないこと、さらに言えば、さまざまな職場におけるハラスメントの遠因でもあるように、思えてくるのである。

そして当然ながら、ＩＴによって「サービスそのものを売る」という時代に、「勤勉革命」的な思想は相性がよくないだろう。事実、日本語で「これはサービスです」といえば、「タダです」という意味である。まさにちょっと前まで、ハードウェアに「サービスで」ついてくるのがソフトウェアだと考えられていたわけで（ただし、プロパテント政策に転換するまでは、アメリカでも同じような状況だったのだが）、そのような社会で、デジタル経済が首尾良く発展するとは、とうてい思えない。

そのような「マンタリテ」の問題に加えて、意志決定が遅く、経営判断の責任が誰にあるのかも不明瞭で、考え方がとにかく古い「昭和な企業」が長い間、経済界でも幅を利かせ、政治的にもあらゆる点で強い影響を与えてきたのだから、「デジタル」と「グローバル」の時代に経済成長など期待できるわけもないのだが。

平成の良き思い出

そういうわけで、ちょっと回り道などもしつつ、「平成」なるものを独断と偏見で概観してみたが、これはもちろん、実証的な歴史的検討などでは全くない。とはいえ、少なくとも政治と経済の面では、やはり非常に「残念な時代」であったと言わざるを得ないのではないか。

あまりに惨めなことばかりなので、敢えて明るい話題も一言だけ付記したい。おそらく、この時代にこの国で最も輝いたのは、文化、特にサブカルチャーの側面であろう。今では某省があたかも自分の所管、なんなら自分の手柄であるかのように喧伝するので、このあたりの話は指摘するのも憚《はばか》られるのだが、日本発のさまざまな作品が世界的に展開していったという事実だけは、日本史における「平成」の良き記憶となるだろう。

3 予告編——ポスト・コロナ・エイジ

コロナ、襲来

そこに、コロナがやってきた。

私たちの社会は、平成という時代に、次々と痩せ細り、蓄えを失って借金ばかりが増え、年老いて、希望も失った、実に惨めなものになり果ててしまった。しかし、どうも、そのことを私たちの社会は直視できないまま、ここまで来てしまったように思われる。とりわけ、福島第一原子力発電所の事故以降のこの社会は、「現実逃避」の傾向がむしろ強くなったように思われる。

もっとも最近は、世界的にも「ポスト・トゥルース」が流行しているらしい。元々この国では、事実を見つめ、合理的に対策を立てるということよりも、「気合いと勢いで乗り切る」という非合理主義が主流であったらしいので、元祖ポスト・トゥルースは我が国であって、世界がジャパナイズされつつあるのだ、と言うべきかもしれない。詳しくは是非、斎藤環氏の『世界が土曜の夜の夢なら——ヤンキーと精神分析』や『ヤンキー化する日本』をお読みいただきたい。氏によれば、坂本龍馬や田中角栄こそが「ヤンキー的なるもの」の典型であるという。本当に目からうろこが落ちるとは、このことだと思った。

そういうわけで、国全体でチキンレースを続けてきた日本だが、コロナで、ついに年貢の納め時となってしまうのではないか。それは本当は全て、すでに分かっていたことであり、もうかなり前に方向性は決していたことばかりなのだが、それが白日のもとに晒され、誰もが受け入れざるを得なくなる、ということではないだろうか。

本稿の使命は、このようなポスト・コロナ・ソサエティの姿を描くことではなく、その前座というべきものの試論に留まる。従って、ここで稿を閉じてもいいのだが、それではちょっと寂しいので、かなり雑な予想になるが以下、若干、「予告編」を付記しておきたい。

労働の変容

まず、すでに始まっていることだが、「勤勉革命」の残滓に、大きな影響を与えるはずだ。もしかすると江戸時代から続いているかもしれない、このメンタリティの結晶として、特に首都圏での異常な「満員電車社会」が維持されてきたと考えられるのではないか。しかし、元々誰もが「おかしい」と思っていた。どう考えても毎朝、まずは満員電車で心身をぼろぼろにした上で、職場に赴くという「習慣」は、社員にとってはもちろんのこと、企業にとっても合理的ではない。その悪夢のような日々が突然、消失した。もちろん、それはテレワークが可能な狭い職種に限られており、その意味でかなり部分的な変化ではある。とはいえ、これはもう後戻りのできない「気づき」をこの社会にもたらしてしまった。

そもそも、首都圏にばかり人口が集中し過ぎるというのは、国家政策の敗北である。1990年には衆参両院にて「国会等の移転に関する決議」を採択、1992年には「国会等の移転に関する法律」も成立し、1999年には、移転先の候補地も具体化した。あの頃はまだ、政治が社会をリードするという意志があったのだなと感慨深く思う。

あらゆるホワイトカラーの業務は、ネットワーク越しにできるという、これもまた、とうの昔に分かっていて、かつ、技術的にも十分に可能であったことが、「現実的なやり方」として認知された事実は、デジタル化を根本的なところで拒み続けてきたこの社会に、大きな影響を与えるのではないか。

それは自ずと「業務の評価」という、これまた、仲間内では和を尊ぶ日本社会にとって鬼門というべきものと向き合うことにもつながるのだが、さすがに背に腹は代えられないだろう。なにしろ、コロナのテレワークによって、至るところで「仕事をしているふりをしていただけの人」があぶり出されてしまったのだから。これは、事実上、「世代間の問題」でもあり、その意味で、特定の世代が集中的に批判されそうで、心が痛む。しかしこれも、もう何十年も前から分かっていたことであり、この理不尽の陰に泣いてきた若い人たちが大勢いることを知れば、致し方ないこととも思う。ほどなく、この国でもついに、年功序列なる文化が、本当に、全面的に終了する日がやってくるのだろう。

都市とヒトの移動

首都圏とそれ以外、あるいは、三大都市圏とそれ以外、の関係性も、さまざまな変化が顕在化するだろう。これも、東日本大震災の後、一時は盛り上がったのだが、いつの間にか下火になってしまった一連の議論の延長でもある。何のために東京に住み続けているのか分からないという思いを心にしまい込んできた人たちが、ついに行動に出る契機になるかもしれない。

もちろん、都市の問題は複雑であり、個別的な事情は千差万別なので、「地方の時代がやってくる」などという単純な話ではない。しかし、新しい動きで先行する地方都市がいくつか現れてきて、ブームになるかもしれない。その際に、少し懸念されるのは、既得権を手放したくない中央官庁の動きであるが、かつてに比べると、さまざまな意味でこの勢力は体力が落ちているので、希望的な観測かもしれないが、実質的な影響は少ないのではないか。

細かいことだが「出張」なるものの「意義」も顕在化したと言えるのではないか。本当は要《い》らない出張が多々あったらしいが、「出張すると仕事をしている気になる」という人が思いのほか多く、他にもいくつか事情があって続いていた「文化」だったのかもしれない。しかし、合理的な企業ならば、ネット会議で済むならどう考えても、そちらを選択するだろう。本当に困るのは、鉄道会社、とりわけ「あの路線」をドル箱にしてきた企業ではないだろうか。さらに「新しい乗り物」を建設するという話を聞くのだが、ようやく完成した頃に、お客さんはいるのか、人ごとながら心配になる。今のうちに撤退するという道もあるのではないか。

旅行業、観光業全般については、私にはあれこれ語る資格はない（正確に言えば、ここに書いている、他の多くのことについても、専門性という点では、私に語る資格はない）。ただ素人ながら思うに、残念ながら、相当に抜本的な発想の転換が必要ではないか。短期的に資金を注入して済むはずも、ない。そもそも、旅行、観光とは何を提供する仕事なのか。人々は、そのどこに魅力を感じているのか。これまでの観光にあるのがアタリマエだったもののなかで、ポスト・コロナ・エイジにおいては、省いても構わない側面は、どんなところだろうか。あれこれ自由に考えていけば、色々な道筋が見えてくるようにも思う。

「シェア」は、もっと相性が悪い。寸前にそっちに過度に投資をしてしまったことが、ただただ、悔やまれる。ただし、「消毒のイノベーション」が起これば、なんとかなるのかもしれない。紫外線の活用や、新たな抗菌材料なども有効かもしれない。とはいえ、強い力で押さえ込む道は、あまり推奨されないだろう。ウイルスは、きっとまた対策を「考えだす」からだ。ウイルスが生命体であるかは定義次第だが、生き物とは、そういうものである。

アジア、アメリカ、ヨーロッパ

さらに大きな変化は、欧米へのこの病のダメージによってもたらされるだろう。なぜか理由はよく分からないのだが、この病気は目下のところ、アジアに甘く、アメリカとヨーロッパに厳しい。もしかすると今後またアジアで猛威を振るう可能性もあるので、明確なことは言えないが、この傾向は変わらないかもしれない。一方で、世界中で必死にワクチンを開発しようとしているが、そもそも、コロナウイルスは風邪のウイルスの仲間である。風邪は免疫がつきにくい。だから何度でもかかる。また最新の報告によれば、抗体の寄与はさほどでもなく、自然免疫の影響が大きいらしい。従ってワクチンに期待しすぎるのは危ういかもしれない。

また仮にこの病を乗り越えたとしても、あまりにもダメージが大きかったがゆえに、世界はもう、元の道には戻れないのではないか。そもそも、ＳＡＲＳ、ＭＥＲＳと来て、ＳＡＲＳ２である。ＳＡＲＳ３が来ないとも限らないし、以前から専門家が指摘するインフルエンザＨ５Ｎ１のパンデミックだって十分起こりうる。そのような状況では、これまでのようなグローバル化路線に戻ることは、あまりにリスクが大きい。

科学的な検討が進むことで、徐々に事態が好転していく面はあるだろうが、現状を見る限り、どう見てもすぐに解決するとは思えない。一旦解決したかに見えても、またすぐに再燃する。そうこうしているうちに、中国はさらに力をつけていくだろう。

日本に暮らしていると、海外からの情報の多くが米国経由であるために、どうしてもバイアスがかかりやすいのだが、米国ではなく、英国に情報ソースを切り替えるだけでも、結構、世界の見え方は違ってくるものだ。BBCを腰を据えて見続けていると、それまで信じられていた「世界像」が、少しずつ揺らいでくる瞬間が来る（これもまた、段階的・階段状にやって来る）。さらに、中国中央電視台のCGTNやアルジャジーラの英語放送などを併用していくと、自分の認識枠組みが変容し、奇妙な「酔い」のような体験をするかもしれない（私はそうだった）。

もちろん全てのメディアにはバイアスがあり、フレーミングがある。それを踏まえても、私たちはやはり、かなり偏った情報空間に暮らしているように思う。特に近年の日本はマス・メディアの足腰が、弱体化してしまったことも、影響しているだろう。

しかし、その根本的な原因はやはり、加藤典洋が提起した基本的な問題の放置にあるのではないか。この問題が、今後この国でどうなっていくのかは、依然としてよく見えないが、少なくとも、米国を中心とした世界秩序はもう、過去のものとなっている。民主主義が脅かされている香港の姿は本当に気の毒だし、私自身はやはり「西側」の価値観が内面化されていると感じるのだが、それでも、この流れは変わらないだろうと思う。そして、間違いなく、コロナはそれを加速させていく。

リスクマネジメントのこと

そろそろ本稿も「お開き」が近づいているが、この国におけるコロナのリスクマネジメントについて心配されている方が多いと思われるので、その点だけ最後に付け加えておきたい。「平成時代の概括」のところで少し触れた通り、残念ながら、この国では構造的に、リスクマネジメントだけはできないようになっている、と考えるべきである。なぜなら、リスクと責任と自由は一体のものだからだ。

何か重大な事態が生じた時、優れた人材に短期的に権限を与え、この人物が一手にリスクを引き受け、自由裁量で資源を動員して事態を乗り切り、成功すれば皆に大いに賞賛され、失敗すれば責任を取らされる、というタイプのマネジメントを、皆さんも、外国のパニック映画などでは、観たことがあるだろう。だが、そういう光景を、この日本列島で本当に目撃したことがある人は、非常にまれではないかと推察する。

そもそも、「(世界標準の意味での)リーダー」としての訓練を受けている人材は、この国ではまれだし、仮にいたとしても、自己流でのし上がってきた新興企業の創業者くらいであろう。少なくとも、「公的セクター」にはこの種の人材はほとんどいない。基本的には、周知の通り、答えが決まっているペーパー・テストで高得点をたたき出した人たちがこの国の公的な組織や、それに準じる民間組織の幹部となってきたのであって、誰も出会ったことがないような事態(原発事故も、コロナ・パンデミックも、そして今後襲来するであろう首都直下型地震も、そういう種類の課題である）に対して、リスクをとって自由に判断をし、問題解決に邁進する、などという仕事については、「そういう話は聞いていません」というのが本音だろう。

重要なのは、そのような人事的な仕組みは、決して戦後に発明されたものではない、という点だ。たとえば、あの「陸軍士官学校」とは、まさに、そういう「試験エリート」の学校であり、東條英機が首相にまで出世できた理由のひとつは、「成績が良かったから」である（かといって、「だったら成績が悪かった人をリーダーにすれば良い」という方針では、問題解決につながらないというのが、この世の難しいところ、だろう）。

従って、決して、目先の「担当者」だけを責めてはいけない。教育システムとしても、仕事のキャリアとしても、「そういうコース」がこの国には存在しないから、すみませんが「そういう人」はいません、というのが、実態なのである。仮にも民主主義国家だというのなら、「そういう社会」を放置してきた私たち全員の責任だと言わねばなるまい。

コロナに話を戻そう。とりあえず、この6月までの半年間に限って言えば、表面的には、現場の「火事場のナントカ力」によって、なんとか切り抜けたと考えられる。現場で奮闘してこられた、あらゆるスタッフの皆様には、本当に、感謝したい。本当に、ありがとうございました。

しかし、とりわけ医療関係者は、頑張れば頑張るほど個人の負荷が大きくなるようにできていて、また病院の経営としても厳しくなっていくようにできているので、本格的な「第二波」が秋以降に来た時には、実際に対応してくださる医療スタッフが激減してしまっているのではないかと、個人的にはとても心配している。

最近では「ガダルカナル」、「インパール」といったキーワードも聞こえてきているが、国のあり方について、根本的な反省をすることなくここまで来てしまった結果、「あの頃」と、同じ姿勢で、同じような人たちがこの社会を率いるようになったのだとすれば、論理的に考えれば、基本的には、おそらくは、残念ながら、「また同じことになる」というのが道理であろう。

もしこの悲観的な推論が正しいとするならば、私たちはどうすべきなのだろうか。

少なくとも私個人は、「そういう人」を育てるよりない、と考えている。時間がかかっても、諦めることなく、「次の時代」に賭けて、人を創る。なんとか間に合えばいいのだが。

時代の節目

他にもまだまだ、語るべきことがあるが、今回は、このくらいで。コロナが、新しいシステムが動き出すための、「最後の部品」であったのではないか、という私の仮説について、若干でもご関心を持っていただけたなら、幸いである。

問題は、コロナというスイッチによって動き出した「新システム」のパラメーター、特に

「周期」がどの程度のものか、であろう。それが「冷戦後の世界」、日本で言えば「平成」の時間を支配してきた原理が、転換されるという「ランク」ならば、まだ「かわいいもの」だ。しかし、果たしてそれで、済むかどうか。

とはいえ、所詮わたしたちは、冒頭で描いたコビト、ＣＯＶＩＤ《コビッド》に翻弄されるコビトなのである。この世界がどういう風に動いていて、実のところ何が起きているのかなど、本当はほとんど分かっていないのだ。高度なテクノロジーによって覆われた現代においても、結局は同じことだ。それでも、私たちは、日々を生きていくよりない。それは、やはり、かけがえのないリアルであるし、生きるということは、根本において愛おしいものだ。だから、遠い世界のことや、この世界を動かしている仕組みのことなど、考えるだけ野暮なのかもしれない。それでも、つい、考えたくなる。今は、時代の節目なのか、どんな節目なのか、と。

（２０２０・07・08）

公衆衛生と医療

――集団の救済と病人の救済

小泉義之
（哲学・現代思想）

1 国家の大きな愛

この間、「3つの密を避けよう」「新しい生活様式を作ろう」という呼びかけに、実に多くの人間が従っている。従うにしても、奴隷的に従っているのではなく自発的に従っている。命令された通りに振る舞うというより、命令への従い方を創意工夫して振る舞っている。「自粛」の呼びかけに対しても、同様である。実に多くの人間が、あたかも、「自粛」要請は、自分自身で思い当たって自分自身へ向けて発したものであるかのようにして、自主的に自己規制している。あたかも、多数が暗黙のうちに決めていたことを、誰か上の人間が取りまとめて、一斉に打って出るように合図をしただけであるかのようにして、おのれの振る舞いを律している。

ことほど左様に、「3密」「新しい生活様式」「自粛」は、途方もない力を発揮している。ただの言葉に途方もない力が宿っているかのようである。多数が共同して、ただの言葉に途方もない力を吹き込んでいるかのようである。私が気になっているのは、この力がどこに由来しているのかということである。この力（パワー）を政治的に言いかえて権力（パワー）と呼んでおくなら、この権力をどのように定義し、どのように評価すればよいのかということである。それは、国家のパワーなのか、法律のパワーなのか、国民のパワーなのか、人民のパワーなのか。それは、肯定すべきパワーなのか、忌むべきパワーなのか。いつまでも続くパワーなのか、いつかは停止するパワーなのか。さらに、私が気になりながらも見通しを持てないのは、その力・権力は、ウイルスなる自然物のパワーといかなる関係にあるのかということである。現在の人間のパワーは、自然界のパワーに対抗しているのだろうか。そうであるとして、人間界のパワーは、自然界のパワーによく対抗しているのだろうか。

さて、ミシェル・フーコーが、このような状況を最もよく叙述する概念を提供してくれる思想家の一人であることは衆目の一致するところであろう。現在、公衆衛生の知はそれだけで大きな力を発揮している。権力を行使するにしても公衆衛生の知を引き合いに出すことになっており、公衆衛生はまさにフーコーのいう「知と権力」の典型として立ち現われている。その公衆衛生の知の下で行使される権力は、通常の主権権力の行使とは異なっている。憲法や制定法を執行する権力の行使とも異なっている。かといって、それは、人民の権力の直接的な行使でもない。それはまさに、フーコーのいう「生権力」の行使そのものである。公衆衛生の知の下に行使されている生権力の対象は、制定法によって権利と義務を規定されるような法的主体でもなければ国民一般でも市民一般でもない。その対象は、感染し発症し死亡することもある生物としての人間であり、日本列島在住者とか渡航者とか地方自治体住民とか病院利用者とかさまざまな仕方で括られる集団としての住民であり、フーコーのいう「人口」である。すなわち、「生権力」は、「生物＝人間」と「人口」に対して「生政治」を行使しているのである。

　このように、フーコーの用語でもって状況をスケッチすることは容易である。しかし、それだけでは安直すぎて、だからどうなのかと問いたくもなってくる。ひるがえって、そもそもフーコーは、生権力・生政治を、また、疫病対策をどう評価していたのだろうか。多くの人は、フーコーはそれらを「批判」したと、否定的な意味で「批判」して拒絶しようとしたと解していると思われるが、私の見るところ、事はそれほど単純ではない。フーコーは、一九七八年の来日時に、蓮實重彥の介在もあって、吉本隆明と対談したことがあるが、その最後に、次のように述べていた。

　国家の成立に関しては、専制君主のような人物や、裏で操る上層階級の人間を問題にしても仕方がないのです。そうではなくて、国家には、ある種の大きな愛が、把握し難い意志

があったとしか言いようがないのです。[※1]

実に、現在の国家は、ある種の大きな愛を発揮している。何しろ、「民衆の救済こそが最高の法である」とする古代ローマのキケロ以来の格言を文字通りに遂行しようとしているのだから。そこには、何か把握し難い得体の知れない国家意志とでも言うべきものが働いている。何しろ、その国家意志は、民衆の全体意志に、民衆の総意に基づいているようなのだから。このようなときに、「批判」も何もあったものではないとすら思えてくるわけであるが、やはり幸か不幸か、物事はそれほど単純ではない。先ずは、フーコーの用語を援用して、現状をもう少し詳しく叙述してみよう。

2 人間が人間を統治する

「3密」「新しい生活様式」「自粛」を介する、国家機関に関与する人間と日本列島に暮らす人間の関係について、前者が後者を「支配している」とするのはあたっていない。また、前者が後者に「命令している」とするのもあたってはいない。たしかに、前者は法律を作成しそれに基づいて呼びかけを発しているし、国家によっては、その呼びかけに従わぬ場合に強制措置を用意しているので、それは強制的な法執行にあたると言いたくなるが、そのような強制であっても、後者は必ずしもその意に反して従わされるわけでもない。むしろ強制そのものを歓迎する向きすらある。要するに、疫病や災害の下での、国家公人と国土内人間の関係を、通例の法的・政治的な支配関係としてのみ捉えては、どこかで的を外すのである。

そのような事情を念頭に置きながら、フーコーは、『安全・領土・人口』で、「統治すること（gouverner）」という用語を持ち出している。その「統治」の主たる用法の一つに、「養うこと、育てること、食糧を与えること」、「病人に療法を課すこと」があるが、それを含めて、フーコーは、「これらすべての意味を通して明白になるが、統治されるのは決して国家ではなく、領土でも政治構造でもない。統治されるのは、ともかくも人々である。統治されるのは人間であり、個人と集団である」[※2]、とまとめている。いまは、人間が人間を統治しているのである。では、西洋の歴史を振り返るとき、その人間の統治は、どのように始まり、どのように受け継がれたのであろうか。

フーコーによるなら、その観念の起源は、ヨーロッパの東方（オリエント）に、キリスト教以前の東方とキリスト教化された東方にある。それは、牧者・羊飼い（berger）の人間が羊の群れを統治することをモデルとしている。その「牧者の権力」は、キリスト教西方では、

※1　「世界認識の方法」『フーコー・コレクション5』（ちくま学芸文庫）一〇五頁。以下、フーコーからの引用に際しては、訳文を変えてある。

※2　『安全・領土・人口』（筑摩書房）一五一 - 一五二頁。

教会の聖職者が教会の一般信徒と取り結ぶ関係のモデルとなる。それが、フーコーのいう「司牧権力（le pouvoir pastoral）」である。牧者が羊の群れに及ぼす力・権力の関係、これをモデルとして、司牧が信徒に及ぼす力・権力の関係が形成され、まさにこれが、近世において統治と結びつくことで近代国家の重要な一面が形成されるというのがフーコーの見通しである。

さて、牧者は羊に悪いことはしない。羊が生きること、よく生きることは、牧者自身にとっても利益になることであるから、牧者は、羊を養い育て、羊を疫病や災害から守る。牧者は、羊に安全と安心を保障し、羊の幸福や福祉を保護し、羊自身の最善の利益のために、羊を指導する。ときに必要なら、言葉で説得するわけにもいかないので、さまざまな手段で強制する。そのときも牧者は、羊を愛している。まさに愛の鞭を振るうのである。そのような力関係・権力関係が成立しているが、それをモデルとして、それと同じようにして、キリスト教会内で司牧は信徒に対する。したがって、「司牧権力は根本的に、善行を為す権力である」。フーコーは次のようにまとめている。「司牧権力は、ケア（soin）の権力である。司牧権力は、群れをケアし、群れの個人をケアし、羊が苦しまぬように見張り、迷える羊はもちろん探しに行き、傷ついた羊をケアする」。[※3]

フーコーによるなら、司牧権力は、西洋に独自のものである。[※4]それが世界各所の近代化の進展に伴って西洋以外にも広まり、現代の国家にも引き継がれている。それが、いま疫病の下で際立っているのである。

しかし、すぐに気づかれることだが、牧者は羊をケアするにしても、必要があれば、羊を殺しもする。状況によっては、羊を死ぬにまかせることもある。疫病の感染様式によっては、一部の羊が発病しただけでその群れの全数を殺すこともある。善かれと思って、殺し死なせるのである。それと同じようにして、司牧は信徒に犠牲を強いることもある。少なくとも、徹底的に司牧権力が組織化された修道院においては、日常的に修道僧の犠牲が求められる。明らかに、司牧権力には残酷な面がある。とするなら、それをモデルとする国家にも残酷な面があるはずである。フーコーは、そのことが西洋文明の逆説であるとして、次のように書いている。

あらゆる文明の中で、キリスト教西洋の文明はおそらく最も創造的で最も征服的で最も傲慢な文明であり、おそらくは最も血生臭い文明の一つだった。たしかに、この文明は、最

※3　同、一五六‐一五七頁。したがって、司牧権力を、善の権力、共通善の権力と呼ぶこともできる。小泉義之「自然状態の純粋暴力における法と正義」『思想としての〈新型コロナウイルス禍〉』所収（河出書房新社、二〇二〇年）を参照。

※4　牧畜モデルである点を除けば、同様の政治理念は洋の東西を問わず存在する。仁政、慈善救済、経世済民などのことを想起してほしい。

も大きな暴力を繰り広げた文明の一つである。しかし、同時に、これが私の拘りたい逆説なのだが、西洋の人間は何千年ものあいだ、ギリシア人であればおそらく誰一人として認めようとしなかったことを学んできた。すなわち、何千年ものあいだ、自分が羊たちの中の一頭の羊だと見なすことを、自分のために我が身を犠牲にしてくれる牧者に救済を求めることを学んできたのである。[※5]

ところで、フーコーは、その西洋文明の逆説を、すこし違った角度から、「牧者の逆説」として述べている。[※6] 第一に、牧者は群れの救済のためにはおのれを犠牲にする用意がなければならないが、しかし、牧者が犠牲になるや直ちに群れも死滅することになる。現代医療で例示するなら、医療者は病院内部の人間たちを救済するためにおのれを犠牲にする用意がなければならないが、しかし、医療者が犠牲になったら病院内部の人間すべてが死に至ってしまう。第二に、牧者は、個々の羊の健康に配慮するが、群れ全体の「健康」を一部の羊が脅かすのなら、その羊を犠牲に供さなければならない。現代医療で例示するなら、医療者は病院内部の個々の人間の回復を目指すのだが、病院内部の人員や資材が不足する状況では、病院内部の患者全体の「回復」が脅かされるので、一部の患者をその状況下では回復不可能と判定して犠牲に供さなければならない。

私の見るところ、司牧権力は、近代においては「牧者の逆説」を解消する形で変容するのであり、その点が、現状に対する批判のポイントの一つになる。その変容の過程を、疫病の対策の歴史を通して概観しよう。

3 安全・安心の三つの保障装置

現在、各国の疫病対策は一様ではない。各国の政府はいかなる対策を採るべきか揺れているようにも見えるが、それらの対策は、フーコーの見方を借りるなら、おおむね三つに分類することができる。

第一に、「癩病」[※7]の対策として採られた、都市からの追放・排除の方式である。いまは、そこにまつわる差別性や非合理性などについては捨象して捉えておくが、それは、感染性があると見なされる発病者を、未感染の人間から遠ざけ、別の場所へ隔離して収容する方式で

※5 『安全・領土・人口』（筑摩書房）一六〇 - 一六一頁。そこにおいて、人間は市民でも奴隷でもなく家畜である。思考する家畜である。

※6 同、一五八頁。フーコーは『聖書』の一節などを典拠としてあげるが、その限りでも、その解釈には無理がある。したがって、「牧者の逆説」は、フーコーに独自の見方であると受けとめておく。

※7 過去における疾病名「癩病」の語法には倫理的に見て問題が多く、そのため、現在では「ハンセン病」と呼びかえられることもあるが、「癩病」の外延は「ハンセン病」のそれとは同じではないことも考慮し、本稿では「癩病」を歴史的用語として用いる。なお、以下、引用符はつけない。

ある。仮に病者が放浪や流浪を強いられている場合でも、特定の経路へ隔離され収容されていることに変わりはない。その場所で医療や看護が施されることは稀であり、仮に治癒したとしても元の生活に復帰できないのが常であったが、ここで注意しておきたいのは、追放され排除された場所においても、少なくとも理念的には、独特な「救済」が用意されていたということである。この点について、フーコーは、『狂気の歴史』で、ブリューゲルの宗教画に描かれた癩者に着目しながら、こう書いている。

ブリューゲルの癩者たちは、全民衆がキリストに付き随っていく、あのゴルゴタの丘の登り道を、遠くから、しかしいつまでも見守りながら居合わせている。しかも、癩者たちは、悪しき病を宗教的儀礼に則って身をもって証言しているのであり、自らの排除そのものにおいて、自らの排除によって、自らの救済を果たしている。すなわち、罪なき者の善行や祈りによって罪ある者を救済するのとは奇怪な仕方で対立する仕方になるが、癩者たちは差し出されることのない手によって救済される。癩者を戸口に棄てるのは罪ある者であるが、その罪ある者が癩者に救済の道を開くのである。〔……〕遺棄されることが癩者には救済である。排除は癩者に聖体拝受の別の形式を与える。[※8]

追放する側にとっては、おのれの罪を誤魔化す都合のよい理念ではあるが、追放する側が、キリストからもキリストに従う全民衆からも遠く離れた定位置において、逆説的な仕方ではあるが何らかの救済が与えられるべきであると考えていたこと自体は重要である。不治の者を隔離するにしても、まさにその場所で何らかの救済が与えられるべきであるという理念が、後の各種の収容施設でも働いていると言うこともできる。耳障りに聞こえるかもしれないが、癩病の対策は、隔離病棟の方式の起源の一つである。フーコーは、こういう言い方をしている。癩病の流行がおさまっても、その「構造」は残った。それは「異なる文化」では「新しい意味」を帯びるが、「社会的な排除でありながらも霊的な再統合でもある形式は本質的に存続するであろう」、とである。※9 そして、われわれの文化では、隔離病棟や収容施設におけるケアこそが、「霊的な再統合」でもある救済をもたらすと考えられている。

第二の方式はペスト対策である。具体的には、港湾での検疫、ある都市や地区の隔離である。フーコーは、『監獄の誕生』で、十七世紀末にフランス陸軍が、都市でペストが発生した場合に、「予防のために」採るべき措置を定めた規則を参照しながら、都市の封じ込めについて詳しく叙述している。よく引用される有名な箇所である。多少長くなるが、その書き出し部分を引いておく。

※8　『狂気の歴史』（新潮社）二三-二四頁。
※9　同、二四頁。

最初に、空間の厳重な碁盤割りの実施。つまり、都市と「地域」の封鎖はもちろん、そこから外へ出ることは禁止、違反すれば死刑であり、うろつく動物はすべて殺処分である。そして、都市を地区に分割し、そこで軍監督官の権力が確立される。各街路は市民代表の権威下に置かれる。市民代表は街路を監視し、もし市民代表がそこから立ち去れば死刑に処せられる。指定日には、各人は家に引きこもれと命令され、外出が禁じられて、違反すれば死刑である。市民代表自身がそれぞれの家の扉を外から閉めに行き、その鍵を地区の軍監督官に渡す。軍監督官は検疫・隔離（quarantaine）の終わりまで、鍵を保管する。各家庭は必需品の買い入れを済ませておかねばならない。しかし、葡萄酒とパンについては街路と家の中をつなぐ木製の小さな管を配備しておいて、提供者と住人の間での対面交流なしで、各人に割当量が放出されるようにし、肉や魚や野菜については、滑車と籠で送りこむ。どうしても家を出なければならない場合には、名簿に記された順番に退去し、しかも他人と一切出会わないようにする[※10]。

陸軍が、違反者に対し死刑をちらつかせながら配置につくのであるから、これはいかにも強制的で暴力的な措置に見える。合法的な暴力を独占する主権国家の権力が、露骨なまでに顕わになる非常状態に見える。しかし、事態はそれほど単純ではない。引用箇所に読まれるように、陸軍は、補給の責務を負っている。市民を生かすことに配慮している。動物の殺処分は、経験的に伝染源と見なされる動物を駆除して、市民の感染を予防するためである。要するに、陸軍が、牧者と司牧の役割を担っているのである。さらに、この事例は「都市」の封鎖とだけ理解されているが、その理解では不十分であることも指摘しておく必要がある。

第一に、封じ込められるのは、都市というよりは、家族である。家族はその居住範囲に押し込められ、別の家族との交通を遮断され、家族単位で封じ込めが行われる。そして、一定期間、家族全員が病死する可能性が容認されながら、別の家族への感染を防ぐことが目指されるのである。「ステイホーム」なる命令は、通勤や買い物が放置される点で違ってはいるが、その起源はペスト対策にある。

第二に、街路を行き来するのは、軍監督官、市民代表、番兵に加えて、通称「カラス」の「下層民」がいる。この下層民は、「病人を運び、死者を埋葬し、掃除し、多くの汚れた卑しい仕事を行う」。また、行政官が、「死者、病状、要求、不正」を記した報告書を受け取ることになっており、この行政官は「医療ケアの指揮を執り、責任ある医者を指名する」。つまり、病人は封鎖地区とは別の場所で隔離されて医療と看護を受けることになっている。もとより死亡率は高いのであるが、別の救済が用意されているのである。

※10　『監獄の誕生』（新潮社）一九八頁。

ペスト対策の有効性そのものについては実は疫学的にも論争があるが、いま問題にしたいことは、ペストの検疫・隔離の方式が、その後の国家権力の在り方にどのように影響を及ぼしたのかということである。フーコーは、『監獄の誕生』で、このペスト対策が、近代の規律権力のモデルとなり、一望監視装置（パノプティコン）の技術と相まって、現代に至る規律と監視の権力を作り出したと大筋では主張しているが、しかし、ここでも事情はさほど簡単ではない。

先ず言っておくべきは、われわれがペスト対策について知るところの多くは、その運用の実態や現実の有効性であるというよりは、陸軍規則がそうであるように、その構想や計画である。それは、歴史的事実であるというよりは、「ペストに関する政治的夢想」であり、「規律社会の夢想」、「完璧に統治される都市ユートピア」構想である。それは、疫病という「例外状況」に関する夢想なのである。したがって、規律権力は二つに区分されなければならない。

フーコーによるなら、「ペストに襲われた都市と一望監視の施設、両者の差異は重要である」。前者は、「例外状況（une situation d'exception）」である。そこでは、「異常な悪疫に対抗して権力が立ち上がり、権力はいたるところで自らを現前させ可視化し、新しい歯車装置を考案する」。これに対して、後者の一望監視の図式は、「消え去ることもその性質を失うこともなく、社会体の中へ広がる傾向がある。社会体の中で全般的機能になることを使命としている」。このように、規律権力は二つに区分される。念を押して確認するなら、「ペストに襲われた都市は、規律の例外的なモデルを、すなわち完璧だが絶対的に暴力的なモデルを与えていた」。これに対して、「〈一望監視装置〉は増幅の役割を持っている。〈一望監視装置〉が権力を計画配備し、権力をより経済的で実効的にしようとするのは、権力自体のためでも、脅かされた社会の直接的な救いのためでもない。肝要なのは、社会の諸力をより強めることである。すなわち、生産を増大し、経済を発展させ、教育を広げ、公衆道徳の水準を高めること、つまり増加し増大することである」[※11]。

疫病の「例外状況」では、権力があらためて立ち上がる。その権力は、規律権力の「例外」である。それは、「社会」の「救済」を使命とする権力であり、明らかに、善行を旨とする司牧権力の後裔である。これに対し、一望監視装置は、社会内部で局所的に組織されながら、大局的にはリベラリズムや公衆衛生という通常の権力と結びついていく。

続けて、フーコー『安全・領土・人口』に即して、第三の疫病対策の典型である天然痘対策を見ておこう。天然痘に対しては、種痘接種が実践されるようになった。人間は、個人レベルで感染を予防する医療的な技術を手にして、疫病対策に新たな知と技術を導入した。フーコーは、その意味するところを、次のように書いている。

※11　同、二〇六-二〇九頁。

問題はまったく別に立てられる。規律は援用されるが規律を課すのではなく、根本的な問題は、何人が天然痘に罹っているか、何歳か、どんな結果か、死亡率はどの程度か、病変や後遺症はどの程度か、接種を受けるとリスクはどの程度か、個人が接種を受けたのに死んだり天然痘に罹ったりする確率はどのくらいか、人口一般における統計上の結果はどうなるかということである。要するに、あげて問題は、もはや癩病における排除の問題でも、ペストにおけるような防疫・隔離の問題でもなく、疫病の問題に、また、疫病や風土病という現象を阻止する医学キャンペーンの問題になる[※12]。

疫病対策の医学、すなわち公衆衛生の対象は、人間個人というより、人間集団である人口となる。公衆衛生の主たる関心事は、人口における感染率・発症率・死亡率となる。種痘接種は人間個人を予防によって救済することになるのは確かであるにしても、公衆衛生にとっての問題は、種痘接種の率のコントロールを通して、感染率・発症率・死亡率がどのように変化するのか、それを低下させることができるのかということになる。社会の救済の意味が変貌するのである。そのとき、人間の群れは新たな相貌をもつことになり、司牧権力も変容することになる。その変容を促進したのが、フーコーの見立てでは、飢饉対策における市場経済の知である。

4 市場と公衆衛生

自然災害を主因とする不作は、ある地域のすべての人間を襲う共通悪であると言うことができる。「同じ仕方で、人々は飢え、人口全体が飢え、国民全体が飢えた。この出来事のいわば直接的連帯性・大衆性こそが、災禍の特徴を構成していた」[※13]。したがって、理念的には、飢饉は、全員を等しく襲うのであるから、全員が苦を等しく経験しながら、たとえわずかな食糧しかなくとも、全員に等しく分けあって、何とかして全員が等しく生き延びるようにすると考えられていた。牧者にして司牧である統治者にしても、特権を賦与されることなく、同じように飢えて苦しまなければならないし、場合によっては進んで犠牲にならなければならないとも考えられていた。もちろん現実はそのようなものではなかったが、少なくとも、共通悪と共通善の理念に照らして現実が正当化されるべきであるとは思われていた。

ところが、事態は変化する。その背景には、食糧市場が拡大して、ある地域に食糧難が起こっても、他の地域から食糧を移入できるようになったことがある。ただし、その際、基本的に、他地域の食糧は、一部の無償の救援物資を除き、貨幣で購入されなければならなくな

※12　『安全・領土・人口』（筑摩書房）一三-一四頁。
※13　同、五〇頁。

っている。この事情を合理化してみせたのが、誕生時の政治経済学であった。端的に言えば、飢饉対策は市場に任せればよい、レッセ・フェールでよいというのである。[※14]その理路はこうなっている。ある地域市場で食糧が不足するなら、市場メカニズムからして、食糧価格は自動的に上昇する。そうなると、他の地域市場からの食糧移入量は自動的に拡大する。そうなると、食糧不足も埋め合わされ、やがて食糧価格も低下して安定して、地域全員に食糧はその需要に対して過不足なく供給されるようになる。自由市場を信頼し保護して、市場の自動調整機能に任せるなら、目出度し、というのである。また、自動調整機能を阻害する要因に介入しながら、コントロール可能な変数を調整してやるなら、丸くおさまる、というのである。ただし、フーコーも指摘するように、その調整と介入が進行する過程で、貧困の故に高価格の食糧を購入できないまま飢え死にする人間が出るかもしれない。どんな市場原理主義者といえども、そのような場合に備えて、慈善や支援の必要性は認めるものであって、そこは内政の重要な責務となろう。しかし、フーコーの指摘にはそれとは別の意味がある。

そもそも、市場は、食糧不足であることをいかに知るのだろうか。言うまでもなく、食糧価格の高騰がシグナルとなることによってである。しかし、市場は、その高騰が、通常の価格変動とは異なり、ある地域の人間全員を飢え死にへと追い込みかねない飢饉に由来する例外状況であると、いかにして識別することができるだろうか。市場価格だけを見ている限り、原理的に識別できない。見えないのである。すると、どういうことになるのか。政治経済学は、食糧難や飢饉という出来事を、市場の変数の変化によって、コントロール可能な変数の変化を通して捉えるだけであって、その下で人間個人が死ぬことに関心は寄せない。関心を寄せることができないようになっている。

そして、近代国家の知と権力において決定的であったのは、人口を介入対象とする公衆衛生と、市場を介入対象とする政治経済が結びついたことである。そのとき、牧者の逆説は、ついに解消する。その次第を明確に示すために、あえて、公衆衛生は集団としての人間だけを対象とし予防を旨とするものであり、医学は個人としての人間だけを対象として医療を旨とするものであると切り分けておく。

一方で、公衆衛生は、人間の群れ全体の「救済」を目指す。その「救済」とは、公衆衛生が内政を通してコントロール可能と見なされる変数が最適値をとるようにすることである。そのようにして公衆の「健康」、世界の「健康」を増進することである。疫病にあっては、感染率や発症率や死亡率を可能な限り低下させることである。典型的には、「集団免疫」の確立を通して感染症との「共生」を目指すことである。裏から言うなら、公衆衛生は、全員が生き延びること、死亡者を一人も出さないことを直接に目指すのではない。人間個人の救済を任務とするのではなく、人間集団の「救済」を務めとするからである。共通善ではなく

※14　同、五二頁。

公共善の実現を務めとするからである。他方、医学は、いかなる人間であれ、発症し発病したなら救済しようとする。目指すのは、死亡率の低下そのものではなく、個々の人間の死亡の阻止であり、あくまでその集積の結果としての死亡率低下である。医療は、善行を務めとするのである。

こうして、司牧権力を公衆衛生と医療に振り分けることによって、牧者の逆説は大局的には解消する。ところが、今度は、公衆衛生と医療の分離そのものが問題を引き起こしていく。集団へ予防的に介入することと個人の自律性を尊重することの対立、集団の共通善を目指すことと個人の自由を保護することとの対立、といった一連の対立を生み出すことにもなる。それらは、自由主義と民主主義の政治体制下で現われる対立であり、現体制を検討する際には大事な論点にはなるが、ここでは、その一端に別の仕方で触れて結語としたい。

5 自然の力と人間の権力

フーコーは、司牧権力の行く末について、こう書いている。「私は十八世紀が司牧時代の終わりだとしているが、まだ間違えているかもしれない。事実、司牧権力の類型・組織・機能様式、権力として行使される司牧権力は、おそらくわれわれが依然として乗り越えていない何ものかである」、とである。さらに、フーコーは、「反司牧の革命」は一度として起こらなかったと指摘し、「司牧はまだ、歴史から司牧を決定的に追い出してしまう深い革命のプロセスには出くわしていない」、としている。[※15] まるで、「深い革命」を期待するかのような口振りなのであるが、私の知る限り、フーコーはそれ以上のことを書いてはいない。書けてはいない。その一方で、フーコーは、司牧を核とする統治に対しては、歴史的に振り返っても、数多くの反乱や抵抗が起こってきたことを確認し、必要ならば、それが繰り返されるべきことを強く主張している。フーコーによるなら、その行動の動機は、「われわれはその救済を欲していない。われわれは、あの人々によって、その手段で救済されることを欲していない」ということに存している。その動機は、次のように敷衍されている。

われわれはあの人々に従いたくはない。われわれは、命令する者たちでさえ恐怖によって従うことを余儀なくされているようなこのシステムなど欲していない。われわれはこの服従の司牧制を欲していない。われわれはこの真理を欲していない。われわれはこの真理のシステムに捉われたくない。われわれは、この観察のシステム、絶えずわれわれに判断を下し、われわれ自身が自分の奥底で何であるのか、健康なのか病気なのか、狂っているのか狂っていないのかを語るこの恒常的試験のシステムに捉われたくない。[※16]

※15　同、一八二 - 一八五頁。
※16　同、二四八頁。

私なりに、さらに敷衍してみよう。現在、牧者・司牧の役割を担うべき統治者も、「恐怖」によって支配され、いかにして統治すべきかに迷い続けている。専門家は、外見的には「真理」の名の下に疫病対策を案出するように見せかけているが、その内実たるや、真理の行使とはほど遠い、当て所のないものになっている。しかし、それも仕方のないことであろう。歴史的にも、過去の疫病対策はそのようなものであったはずである。どうしてか。自然の力は測り知れないからであるとしか言いようがない。それに対して、人間の権力は、過去の経験を真似ながら試行錯誤で発動させるしかないのであって、司牧権力の理念も、規律権力の政治的夢想も決してそのままで実現できるはずもない。

もちろん、この事態に対して人間は手を拱《こまね》いてきただけではない。とくに近現代の国家においては、公衆衛生に見られるように、人口という疑似自然を構築して、そこにコントロール可能な変数を見出し、そこに介入することによって、自然の力は人間の権力のアンダー・コントロールにあると思いなしてきた。そして、多くの人間は、その安全・安心の装置が救済を保障してくれるものと信じている。私は、現在の事態がその信仰を揺るがすほどのものになるかについては疑わしいと思っているが、それでも、人間集団の「救済」だけが強調され、それがあたかも人間個人の救済に直結するかのように見せかけられるのは耐え難いと思っている。実際、過去の結核についてであるが、いまでも次のように書くものがある。

日本でも世界同様、明治時代の産業革命とともに結核の爆発的流行が始まりましたが、まん延の度合が欧米に比べて緩やかで、結核に対する抵抗力の弱い人が淘汰されず、結核に対する治療法が確立された後はこれら抵抗力の弱い体質を持つ人々が国内に残ることになりました。／このため、日本人には体質的に結核に対する抵抗力が弱い人が欧米より多く、また現在では戦前および戦時中に結核に感染した人が高齢者となり二次結核を発症する例が多くみられるなど、日本の結核罹患率は高値を示しています。※17

フーコーの用語を援用するなら、「抵抗力の弱い体質を持つ人々」なる規定は、人間の下位集団を生物的・生理的に区分する規定であり、それこそ「人種」の規定である。この公衆衛生の知は、まさに過去のレイシズムと同じく、「われわれの中で死ぬ者が増えれば増えるほど、われわれの属する人種はより純粋になるだろう」と語っているに等しい。※18 そして、い

※17　医療情報科学研究所編『公衆衛生がみえる２０１８-２０１９』（メディックメディア、二〇一八年）二九三頁。この度し難い文章、あるいはむしろ、度し難くなっている事態を追認するだけの文章の存在を教示してくれた、塩野麻子氏に感謝する。
※18　『社会は防衛しなければならない』（筑摩書房）二五六頁。

ま、似たような言動は繰り返されている。その意味において、私もまた、「深い革命」への憧れはそれとして保持しながらも、いまの司牧権力による「救済」を欲しはしないし、自然力がもたらす例外状況にあって、人間の知と権力を過信することのない別の仕方での司牧の統治を求めている。

（2020・6・22）

IV

コロナ後の世界

〈不可知性〉の社会
――〈不可知性〉に統治される未来をどう生きるか

柴田悠（社会学）

1 「生存」と「生きることの質」をめぐって

多くの人々の命が脅かされる「非常事態」では――命を脅かすのがウイルスであれ、戦争、経済危機、原発事故やＡＩ（人工知能）による事故であれ――、少なくとも現代の政治権力は、人命を守ることを最優先に政治を行う。つまり、人々に対して「生存する」ことを最優先に求める。すると、「生存する」こと以外の「生きることの質」（「生きている」という生理的事実ではなく、「どう生きているか」という社会的側面）を求めることは、もしそれが他者の生存に有害でありうるならば、政治権力によって禁止されることとなる。たとえば、愛する人と会ったり、自由に移動したり、愛する人を葬送したりといった、従来大切にしてきた行為が、禁止されるようになる。

つまり非常事態では、時限的にとはいえ、「生存」以外のあらゆる価値が、「生存」のために無効化されうる。[※1] そして、その無効化の範囲や程度は、非常事態の深刻さに比例して増大する。２０２０年の前半に世界各国で経験された新型コロナウイルスによる非常事態は、上記のことをおそらく歴史上最も明確に例証した。

そして、非常事態宣言が解除された後も、新型ウイルスによる非常事態は日常においてつねに潜在しており、いつでもまた「生存」以外のあらゆる価値が無効化されうるような「新たな日常」が始まっている。

しかし、ここで問いたい。「生存」以外のさまざまな価値が無効化されてしまうとしたら、私たちは何のために生きているのか。「ただ生きる」だけのために生きているのか。

「最も大切にしなければならないのは、ただ生きる（ζῆν）ということではなくて、よく生きる（εὖ ζῆν）ということなのだ……その『よく』（εὖ）というのは、『美しく』（καλῶς）とか、『正しく』（δικαίως）とかいうのと、同じだ」[※2]。ソクラテスが死刑の直前に語ったとされ

※1　ここでは哲学者ジョルジョ・アガンベンによる「生存以外の価値を持たない社会とは何か」という問い（Giorgio Agamben, "Chiarimenti," *Quodlibet*, 2020.3.17〔https://www.quodlibet.it/giorgio-agamben-chiarimenti〕２０２０年6月1日取得）を参考にしている。

※2　プラトン（久保勉訳）「クリトン」（『ソクラテスの弁明・クリトン』岩波書店、１９６４年）48b（74頁、一部改訳）。

ることの言葉は、「生存」に還元できない「生きることの質」[※3]を問うたものとして、「生存」以外の価値がいつでも無効化されうる2020年以降の「新たな日常」でこそ、深い実存的な意味をもつ。

そこで本稿では、つぎの3つの問いを立てたい。

① 「生存」以外の価値が無効化されやすくなった社会とは、いかなる社会なのか？

② その社会において、私たちはいかなる「生きることの質」を享受することができるのか？

③ その「生きることの質」を私たちが享受するための、条件とは何か？

そして、本稿での（暫定的な）答えを先取りして述べれば、つぎのとおりだ。

①への答え：「生存」以外の価値が無効化されやすくなった社会。それは、「人間社会の近代化」[※4]によって人類全体に脅威を与えうるようになった、人類にとって不可知でありうる存在」（これを本稿では〈不可知性〉と名づける）が、人間社会の全体を攪乱しうる、そのような社会である。そして、その攪乱に起因する非常事態が、日常に潜在している社会である。それは、もはや従来のように人間だけで構成される社会ではなく、人間と〈不可知性〉とが不可避な構成要素として共存していかざるをえない社会である。本稿ではこの社会を「〈不可知性〉の社会」と名づける。

②への答え：「〈不可知性〉の社会」において、私たちが享受できる「生きることの質」。

それは皮肉にも、人間社会を攪乱する〈不可知性〉が現れたからこそ、各個人が「自らの生存」のために初めて危機感をもって、「他者たちと連帯すること」が必要だと実感できるようになったことである。加えて、その危機感を多くの他者たちと共感し合えるようになったことである。少なくともこれらのことは、この新しい「〈不可知性〉の社会」において私たちが享受できる「生きることの質」である。

③への答え：上記の「生きることの質」（つまり人間の連帯への必要性の危機的実感と共感）を、私たちが享受できるための条件。それは少なくとも連帯する範囲のなかでは、〈不可知性〉に関連するさまざまな情報を、リアルタイムに収集・分析・開示し、連帯のために行政や諸個人が利用できることである。しかし、実はその「連帯の手段としてのリアルタイムの情報処理」にこそ、私たちがこれから直面するであろう、より深い問題が潜んでいる。ではその問題とは何か？

※3　仮に現代の「よく生きる」（well-being）が、大部分の人々にとって「美しく」や「正しく」よりも「幸せに生きる」を主に意味するとしても、それが「生存」に還元できない「生きることの質」であることに変わりはない。

※4　本稿で近代化とは「科学技術発展に伴う時空間の拡大化」を指す。近代化のその他の諸相（脱埋め込みや再埋め込みなど）については、柴田悠「近代化と友人関係」『社会学評論』第61巻第2号（2010年）を参照。

以下では、まず〈不可知性〉とは何かを明らかにし、①〜③の問いにより詳しく答えていく。そして、それによって初めて見えてくる今後の「より深い問題」を、最後で提起したい。

2 新型ウイルスの脅威――「不可知性」

人間への感染が記録上初めてであるという意味での「新型」のウイルスは、昔からたびたび発生しているが、20世紀後半からは、従来よりも頻繁に発生するようになった（表1参照）。

この背景としては、よく言われるように、人間による自然破壊や生態系介入が進んだ結果として、人間と野生動物との接触が増えたことや、ウイルスの宿主の寿命が短くなったために別の宿主（とくに近代化によって寿命が長くなった人間）に感染できるようにウイルスが突然変異したことが、考えられる。また、人の移動のグローバル化によって、新型ウイルスは地球規模で広まりやすくなった。以上のことは、近年における新型ウイルスの頻繁な発生や国境を越えた流行は、人間社会の近代化（科学技術発展）がもたらしたものであることを示唆している。

とはいえ、すべての新型ウイルスが、高度に近代化した現代社会で、深刻なパンデミック（世界的流行）を引き起こすわけではない。ヒト免疫不全ウイルス（いわゆるエイズウイルス）のように感染予防が容易だったり、MERSコロナウイルスのように人間同士の感染力が弱かったり、各種インフルエンザウイルスのように潜伏期間が短かったり、エボラウイル

表1　20世紀以降に出現した主な新型ウイルスの比較[*1]

不可知性を高める3条件[*2]		人から人への感染力（基本再生産数）	潜伏期間	無症状率（不顕性感染率）
ウイルス名称	流行時期:死亡者数	感染力が高いと、感染経路の特定が追いつかないうちに市中感染が広がり、感染経路の不可知性が高まる	潜伏期間が長いと、感染していても自覚できない時間が長くなるため、感染力がある場合は、感染経路の不可知性が高まる	無症状率が高いと、感染していても自覚できないままでいる人が増えるため、感染力がある場合は、感染経路の不可知性が高まる
スペイン風邪インフルエンザウイルスA（H1N1）	1918〜1920年:1,700万人以上死亡	新型インフルエンザウイルスと同様なので1〜2程度	新型インフルエンザウイルスと同様なので1〜7日程度	新型インフルエンザウイルスと同様なので比較的高い（感染力あるが弱い）
アジア風邪インフルエンザウイルスA（H2N2）	1957〜1958年:110万人以上死亡			
香港風邪インフルエンザウイルスA（H3N2）	1968〜1969年:100万人以上死亡			[*3]
エボラウイルスEV	1976年〜:1.2万人以上死亡	1.5〜1.9（体液感染）	2〜21日（ただし潜伏期間中は感染力がない）	高い（感染力なし）
ヒト免疫不全ウイルスHIV	1981年〜:3,200万人以上死亡	1.2〜5.8（ただし主に精液・膣分泌液による感染であるためコンドームで容易に予防できる）	2〜6週間（潜伏期間中にも感染力がある）	数年〜10年以上は無症状（感染力あり）
SARSコロナウイルスSARS-CoV	2002〜2004年:774人以上死亡	2〜5（飛沫感染・接触感染）	2〜10日（ただし潜伏期間中は感染力がほとんどない）	1%未満
新型インフルエンザウイルスA（H1N1）	2009年〜:1.8万人以上死亡	1.2〜2.4（飛沫感染・接触感染）	1〜7日（平均:2.6日）（潜伏期間中にも感染力がある）	18〜33%（感染力あるが弱い）
MERSコロナウイルスMERS-CoV	2012年〜:858人以上死亡	0.8〜1.3（飛沫感染・接触感染）	2〜14日（中央値:5日程度）	不明
新型コロナウイルスSARS-CoV-2	2019年〜:40万人以上死亡	3.8〜8.9（飛沫感染・接触感染）	2〜10日（潜伏期間中にも感染力があり、発症1日前に最も感染力が高い）	18%（感染力あり）

＊1：表中の各数値の出典は、紙幅の都合上、Web Appendix（https://sites.google.com/site/harukashibata/webappendixes）に記載してある。

＊2：上に挙げた3条件以外に、「体外での生存期間の長さ」という条件も不可知性を高めるだろう。ヒト免疫不全ウイルスは、体外では不活性化し感染力をほぼ持たないとされる。インフルエンザウイルスの体外生存期間は、最長2日間とされる。新型コロナウイルスの体外生存期間は、SARSコロナウイルスと同等で最長3日間程度との研究もあるが、17日間以上生存したという報告もある。この点からも、新型コロナウイルスの不可知性の高さが窺える。

＊3：不可知性を比較的高める条件に着色

スやＳＡＲＳコロナウイルスのように潜伏期間中の感染力がほとんどなかったり無症状率が低かったりする場合（表１）には、近代化の末に獲得された高度な科学技術によって、早期に「可知化」されるため、現代社会では深刻なパンデミックは起こさない。

たとえば、かつて１７００万人以上を死亡させた「スペイン風邪」は、インフルエンザウイルスＡ（Ｈ１Ｎ１）の亜型であり、新型インフルエンザウイルスＡ／２００９（Ｈ１Ｎ１）とほとんど変わらないため、潜伏期間が短く、その分、もし現在の科学技術を使えるならば「可知化」しやすい。しかし、当時は、科学技術（顕微鏡技術、医薬技術、情報通信技術など）が未発達で、細菌性合併症を予防する抗生物質もなかったため、深刻なパンデミックとなった。

他方で、予防が容易でなかったり、感染力が高かったり、潜伏期間が長くその間に感染力があったり、無症状率が高かったりする新型ウイルスは、現代社会においてもなお「可知化」が難しいため、多くの場合「不可知」なままで感染を拡大させる。それゆえに、現代社会で深刻なパンデミックを起こしうるのは、それらの条件を多く満たす新型ウイルスのみだ。そして、今回の「新型コロナウイルス」は、まさにそれらの条件のすべてを満たしていたがために、深刻なパンデミックを引き起こしたのである（表１）。

したがって、今回の新型コロナウイルスの脅威の由来は、その「不可知性」にある。また、別の新型ウイルスが生まれる可能性も、いまなお進む自然破壊や生態系介入によって今後もますます高まっていくだろう。そのため今後、新型コロナウイルスよりもさらに不可知性の高い新型ウイルスが、突然変異によって誕生する可能性もある。

また同様に、自然破壊や氷河融解によって、これまで人類が接したことのない細菌・カビ・寄生虫との接触が増え、それらのなかで、突然変異を起こしやすかったり（たとえば細菌は抗菌剤の作用を受けると突然変異を起こしやすくなる）、症状の面で潜伏期間が長かったり無症状率が高かったりするもの――つまり不可知性が高いもの――があれば、それに起因する新たな病気が世界的に流行する可能性もある。不可知性の脅威をもちうるものは、新型ウイルスだけではなく、新型細菌などもありうるのだ。

3 新型AIの脅威――「不可知性」

そして実は、不可知性という脅威（人間社会に対する攪乱力）をもちうるものは、新型ウイルスや新型細菌などの「自然物」だけではない。人間が作った「人工物」もまた、不可知性の脅威をもつものがある。現時点でのその最たる実例は、おそらく、２００６年に発明された（つまりＡＩとしては当時「新型」の）深層学習《ディープラーニング》型ＡＩだろう。

２０１０年代以降に流布しているＡＩという概念は、主に「機械学習の一種である深層学習という技術を用いて、データのなかから特徴量を生成できるコンピュータ」を意味している[※5]。そこで本稿では、深層学習以降のＡＩを「新型ＡＩ」（あるいは略して「ＡＩ」）と呼ぶことにする。

その上で本節では、新型ＡＩがいかに不可知性をもつのか、そしてその不可知性が私たちにとっていかに脅威になるのかを、少し長くなるが重要な点なので詳しく説明したい。

まず実態として、新型ＡＩの生み出す予測情報は、すでに商品化されている。有名なのが、２０１１年から商品化された「プレッドポル」（PredPol）だ[※6]。プレッドポルとベテランの犯罪分析官を、犯罪発生予測で勝負させたところ、プレッドポルのほうが2倍以上の出来で勝ったという。プレッドポルを導入した警察署では、パトロールの朝に、プレッドポルによる犯罪発生予測の地図が、警官たちのタブレットに送信される。その予測の根拠は人間には分からないが、プレッドポルは「１５０メートル四方の或る地区で今日犯罪が高確率で起こる」と予測する。警官たちはその予測に従ってパトロールを行う。実際に、米国カリフォルニア州サンタクルーズ市警察署は、２０１１年に世界で初めてプレッドポルを導入し、導入前に増加傾向だった市内の犯罪率は、導入から数年間で2割以上も減ったという。そのようにして新型ＡＩは、犯罪予防などの分野ですでに人間社会に大きな影響を与えている。

では、新型ＡＩが標準装備している「（データから特徴量を生成できる）深層学習」とは、どのような技術なのか。深層学習は１９８０年代から存在したが、深層学習の予測力を格段に向上させたのは２００６年にジェフリー・ヒントンによって発案された「（深層）自己符号化器」だという[※7]。

自己符号化器は、1901年にカール・ピアソンによって発案された「主成分分析」という機械学習の技術と似ている。そして両者の「違い」に着目すると、現在の深層学習に通じる「自己符号化器の特徴」が、浮かび上がってくる。

そこでまずは、両者の「共通点」から確認しよう。両者とも、「入力層」においてデータを入力し、そのデータを使った機械学習の結果として、複数の変数（主成分分析では「主成分」と呼ばれ、自己符号化器では「特徴量」と呼ばれる）を生成する。それらの変数（を計算する諸ニューロン）によって構成される層は、「中間層」と呼ばれる。そして中間層で計算されるそれらの変数を用いて、機械は元データの予測値を計算する。予測値（を計算する諸ニューロン）によって構成される層は「出力層」と呼ばれる。入力層の元データと出力層の予測値とを比較し、それらの差（復元エラー）が最小になるように、つまり機械学習の予測力が最大になるように、中間層の変数を計算するための重みを修正する。

では、主成分分析と自己符号化器の「違い」は何か。それは、第1に重みの関数が線形（主成分分析）なのか非線形も可能（自己符号化器）なのか、第2に上述の「復元エラー」を

※5　松尾豊『人工知能は人間を超えるか』KADOKAWA、2015年。
※6　NHKスペシャル「NEXT WORLD」制作班『NEXT WORLD』NHK出版、2015年。
※7　深層学習や自己符号化器に関する以降の説明は、松尾豊の前掲書に依拠している。

特定の手法のみで計算する（主成分分析）のか、多様な手法で計算できる（自己符号化器）のか、にある。それら2つの「違い」に起因して、両者の予測力は異なってくる。

主成分分析では、中間層において生成される複数の主成分は、1つめに生成される第1主成分と比べると、（第1主成分の残余を使って）2つめに生成される第2主成分のほうが、さらに3つめに生成される第3主成分のほうが、予測力は必ず弱くなってしまう。

それに対して自己符号化器では、1つめに生成される特徴量と比べて、2つめに生成される特徴量も、3つめ以降に生成される特徴量も、予測力は必ずしも弱くならない。それゆえ自己符号化器では、生成された複数の特徴量（それらは第1の中間層を構成する）を、今度は新たなデータとみなして新たな機械学習を行い、それによってより抽象的な予測力を発揮する新たな複数の特徴量を生成することができる（それらの新たな特徴量は第2の中間層を構成する）。このようにして、中間層を第1、第2……と多層化（深層化）して、機械学習の予測力を高めていくことができるのだ。

ただし、実際に自己符号化器の予測力を高めていくためには、元データに敢えてノイズを加えるなどのさまざまな工夫を要する。そのような工夫をしながら自己符号化器を使うことで、深層学習の予測力は格段に向上したという[※8]。

しかしその予測力の向上と引き換えに、深層学習はブラックボックス（不可知な部分）を孕んでしまったと言われている。画像認識における深層学習の研究者の一人は、次のように述べている。「ディープラーニングは……『高い性能を示す理由が明らかでない』という点が問題になっている。『使ってみたらうまくいく。しかし、なぜ?』ということである。……ディープラーニングの学習機構を理論的に解明するという研究はある。しかし、全般的には、未だにブラックボックスの状態といえる。……現状のものは直接的な可視化であり、特徴量（未知なる説明変数）の抽出という点で不十分である」[※9]。

つまり画像認識において深層学習は高い性能を示すが、その性能の由来である「学習された特徴量」については、その深層学習の設計者にとっても知ることができない。中間層の各ニューロンにおいて認識されている（入力画像よりも抽象化された）画像を、「直接的に可視化」することはできる。しかし、いかなる特徴量が学習された結果としてその画像が認識されているのかは、分からないという。

さらに、実務で深層学習を設計している技術者の一人は、次のように述べている。「抽出

※8　なお現在では、必ずしも自己符号化器を使わずとも高い予測力を発揮できる深層学習の技術（畳み込みニューラルネットワークなど）が様々に開発されており、深層学習において自己符号化器は必須の技術ではなくなっている。しかし深層学習が、「入力層↓（多層化された）中間層↓出力層」という構造で成り立ち、各中間層の各ニューロンで特徴量を計算することに変わりはない。

※9　白山晋「Deep Visualization」第22回ビジュアリゼーションカンファレンス講演資料、2016年11月25日(https://www.cybernet.co.jp/avs/seminar_event/conf/22/program.html#1-5、2020年6月1日取得)。

された特徴はその名の通りディープなネットワークの中の重みに潜在しており、そこから学習された『何か』を人間が理解可能な形で取り出すというのは至難の業です。『何かを学んでいるはずだが、何を学んでいるかはよくわからない』これがディープラーニングにおける、解釈性の問題になります。ただ、この点については近年研究が進んでおり、その判断根拠を明らかにする手法がいくつか提案されています。……ブラックボックスで行う判断根拠の推定は、基本的に入力と出力しか見ません」[※10]。

つまり現状としては、人間が、深層学習の判断根拠（となる特徴量）を知りたい場合は、（特徴量を計算している）中間層から直接「知る」ことは不可能で、入力層と出力層から「推定」するしかない。つまり深層学習の判断根拠は、基本的に「不可知」ということだ。

また仮に人間が、ＡＩの判断根拠（特徴量）を推定し解釈できたとしても、その次の瞬間に、ＡＩが別の新たな特徴量を膨大に学習してしまえば、それによってそのＡＩは、別の判断根拠をもつ別の「新型ＡＩ」へと変異してしまうかもしれない。ＡＩの判断根拠の推定は、いたちごっこになってしまう可能性もあるのだ。

もちろん今後、ＡＩの研究が進むことで、「ＡＩの判断根拠をＡＩ自身に説明させる」という技術も発展するだろう。しかしその技術が確立されたとしても、「人間が深層学習の判断根拠を直接知れない」という状況は変わらない。むしろ、「ＡＩが自らの判断根拠をこのように説明しているから、そのＡＩを信頼する」というように、「ＡＩへの信頼がＡＩへの信頼を基礎づける」という状況になれば、「人間への信頼」は不要になり、「人間の判断」が「ＡＩの判断」よりも劣るとみなされるようになるだろう。

このように判断根拠が不可知にもかかわらず、犯罪予測や弁護士業務の現場では、すでに「人間よりもＡＩのほうが信頼できる」とみなされている事例が多発している。[※11] もちろんそれは、「ＡＩの判断根拠を推定できたから」でもなく、「ＡＩが自らの判断根拠を説明してくれたから」でもなく、単に「人間よりも予測力が高くて役立っている」からだ。役立てば、判断根拠の由来は気にされない。このようにして、ＡＩによる判断根拠は不可知なまま、ＡＩによる予測とＡＩへの信頼はすでに広まっているのである。[※12]

その設計者にすら根拠が不可知なＡＩの判断に、人間社会は今後ますます頼っていくことになるだろう。そして根拠が不可知であるからこそ、つまり人知を超えているからこそ、人々はＡＩの判断に従わざるをえない。判断根拠が不可知ということは、「その判断根拠を合理的に批判したり反証したりすることができない」ということだからだ。

※10　久保隆宏「ディープラーニングの判断根拠を理解する手法」*Qiita*、２０１８年３月９日（https://qiita.com/icoxfog417/items/8689f943fd1225e24358、２０２０年６月１日取得）。
※11　ＮＨＫスペシャル「NEXT WORLD」制作班、前掲書。
※12　柴田悠「ＡＩの社会学」『ソシオロジ』第63巻第3号（２０１９年）。

人間がＡＩの不可知性に従わざるをえないということは、ＡＩの不可知性が人間社会の全体を撹乱する脅威になりうるということである。ここに、新型ＡＩの脅威が潜在している。

４ 新型ウイルスと新型ＡＩの共通項――〈不可知性〉

これまで、新型ウイルスなどの自然物の「不可知性」と、新型ＡＩなどの人工物の「不可知性」を、別々の文脈で確認してきた。しかしそれらはすべて、「人間社会の近代化によって人類全体に脅威を与えうるようになった、人類にとって不可知でありうる存在」という点では共通している。この共通点を概念化したものが、本稿の冒頭で登場した〈不可知性〉である。では〈不可知性〉とは、より詳細にはどのように定義できるだろうか。

そこでまずは、〈不可知性〉に最も近い概念として、ドイツの社会学者ウルリッヒ・ベックが『リスク社会』[※13]で定義した「リスク」という概念を紹介し、その「リスク」との比較によって〈不可知性〉の定義をより明確化してみたい。

ベックの「リスク」概念は、「近代化（科学技術発展）以前から存在していようといまいと、近代化の結果として、空間的・時間的に無境界・無限定に広まる可能性を得て、その広まりによって人類全体に脅威を与えうる、五感では直接知覚できないもの」として定義できる。[※14]そしてその典型例として、ベックは「放射性物質（のもつ放射能）」などを挙げている。[※15]

この「リスク」の定義は、新型ウイルスや新型ＡＩを典型例とする〈不可知性〉にも、そのまま当てはまる。しかし、〈不可知性〉の脅威を説明するには、この定義だけでは不十分だ。

「リスク」の典型例である放射性物質は、たしかに人間の五感では直接に知覚できない。しかし、放射線測定器を用いれば、容易に検出でき、存在を知ることができる。また、放射性物質の性質（放射能）は、生物やウイルスのように突然変異するものではないので、科学的研究によって解明していくことができる。

それに対して、〈不可知性〉の典型例である新型ウイルスは、潜伏期が長く無症状率が高いため五感では必ずしも知覚できないだけでなく、医学的な検査によっても１００％正確にはその存在を検出できない。また、突然変異によって遺伝情報が大きく変異した場合には、不可知なる新たな性質を得るとともに、検査の検出力も落ちてしまう。

また、〈不可知性〉のもう一つの典型例である新型ＡＩも、それが学習した特徴量（によって規定される機能）は、そもそも設計者にとってすら理解することが実質的に不可能だし、

※13　Ulrich Beck, *Risikogesellschaft*, Suhrkamp Verlag, 1986.

※14　柴田悠「リスク社会と福島原発事故後の希望」大澤真幸編『３・11後の思想家25』（左右社、２０１２年）。

※15　放射性物質は、近代化以前から自然界に存在するが、近代の科学技術によってその性質（放射能）が強まりうることとなり、それによって人類全体への脅威となりうる。

新たなデータの学習をしてしまえば、さらに不可知なる新たな特徴量（機能）を得てしまう。そういう意味で、新型ウイルスや新型ＡＩのほうが、物理化学的な性質が分かっていて検出も容易な放射性物質よりも、人類にとって格段に不可知性が高いのである。

したがって、「リスク」という概念の定義に、次の条件、つまり、「（たとえば突然変異や特徴量学習などによって生まれる）人類にとって未知の変種が、つねに生まれる可能性があり、かつ、その変種が人間の知りえないところで広まる可能性が常にある」という条件を追加すれば、〈不可知性〉という概念になる。つまり、「リスク」（近代化によって人類全体への脅威となる可能性を得た、知覚できないもの）のうち、「その性質あるいは存在有無が、どの人間にとっても不可知な可能性がある」ものが、〈不可知性〉なのである。

5 〈不可知性〉の社会——①への答え

これまでの人間社会は、近代化のプロセス（世界を可知化するプロセス）のなかで、自然を支配し（可知化し）、ウイルスや細菌などの自然物による脅威を克服し、科学技術を発展させることで、物質的に豊かになってきた。また、近代化が生み出した人工物は、原子力発電技術を含め、人間が設計したもの（完全に可知なるもの）であり、その挙動をコントロールすることが（少なくとも理論上は）可能であるとみなされてきた。

そのため、近代化が進めば進むほど、「人間社会を撹乱する要因は、十分に可知化されてきた自然物や、もともと可知な人工物ではなく、いまだに不可知性を孕んでいる人間（他者）なのだ」とみなされるようになり、「人間の連帯」がめざされてきた。

とくに第二次世界大戦後は、多くの国々で大規模な工業化と高度経済成長が起こり、近代化が急速に進んだ。するとそれらの国々では、「人間の連帯をめざす」という上述の近代的な規範が普及していった。またそれと同時に、流動的な近代社会のとらえどころのない「現実」を、なんとか意味づけて秩序づけるために、人々は、「現実」と対比的な「非－現実」のイメージ（社会的構築物）を広く共有するようになった。そしてその「非－現実」のイメージは、「人間の連帯をめざす」という近代的規範を前提としつつ、「理想」（1945〜70年頃）から「虚構」（1970〜95年頃）へ、そして「不可能性」（1995年頃から）へと変遷していった。[※16]

「理想の時代」（1945〜70年頃）は、人間全体の連帯を「実現可能な理想」として想定できた時代である。象徴的な出来事は、戦争を防ぐための、国際連合の設立（1945年）だ。

「虚構の時代」（1970〜95年頃）は、人間全体の連帯を「実現不可能な虚構」として共有できた時代である。象徴的な出来事は、先進諸国の人々を魅了する虚構としてのアニメー

※16　大澤真幸『不可能性の時代』（岩波書店、2008年）。

ション作品を最も多く生み出したウォルト・ディズニーの理想を具現すべく世界中に設置された「ディズニーランド」のなかで、とくに世界平和を具現化した「It's a Small World」の設置（1966年〜）である。実際には戦争は頻発していたが、少なくともディズニーランドを開園できるような「国内の平和」が保たれていれば、「It's a Small World」の館内では、まるで「世界平和」が実現しているかのような虚構を楽しむことができた。

「不可能性の時代」（1995年頃〜）は、人間の連帯について、いかなる虚構も共有できず、その不可能性しか共有できなくなった（と人々が考えるようになった）時代である。象徴的な出来事としては、「東京地下鉄サリン事件」（1995年）や「コロンバイン高校銃乱射事件」[※17]（1999年）、「アメリカ同時多発テロ事件」（2001年）などが挙げられる。「国内に（人間によって引き起こされる）テロや分断が潜在するので、『国内の平和』さえ不可能である」ことが、共通の認識となった。その共通認識を前提に、「テロの予防」や「分断の軽減」が目指された。

しかし2020年ごろから、人間社会は、人間ではなく人間以外の存在によってこそ、大きく攪乱されるようになった。その人間以外の存在というのが、人間社会の近代化によって人類全体に脅威を与えうるようになった、新型ウイルスや新型AIなどの〈不可知性〉である。このような状況になった社会、つまり、人間と〈不可知性〉によって構成される社会が、本稿の冒頭で述べた「〈不可知性〉の社会」なのである。

「〈不可知性〉の社会」は、人間（の構成する人間社会）と〈不可知性〉とから構成されている。〈不可知性〉の社会において、人間社会を撹乱しうるのは、もはや人間だけではない。人間は、人間社会のうち、自分の力が及ぶ範囲のみを部分的に撹乱しうる。それに対して〈不可知性〉は、空間的・時間的に無境界・無限定に広まり、しかも人類には不可知な部分を含み制御不能なので、人間社会の全体を撹乱しうる。

この2020年に始まった（ように私たちには感じられているが実は新型AIが生まれた2006年からすでに潜在的に始まっていた）「〈不可知性〉の社会」では、人間社会は——たとえその内部で人間が連帯できてもできなくても——、人間以前の存在（新型ウイルス）や人間以後の存在（新型AI）の〈不可知性〉によって、その全体を撹乱されうる。つまり「〈不可知性〉の社会」では、〈不可知性〉との共存をめざすことが、人間社会にとって不可欠になるのだ。以上が、①の問いへの答えである。

6 〈不可知性〉の社会で享受できる「生きることの質」——②への答え

〈不可知性〉と共存するための方法は、大きく分ければ2つの方向性がありうるだろう（そしてそのあいだにさまざまなグラデーションがありうる）。

※17　未成年が起こした学校内銃乱射事件としては、米国で過去最悪の13名の被害死亡者を出した事件。

第1の方向性は、「医療・情報技術のための情報・資源の収集・分配を行ったり、国際的な環境税やAI税、ベーシックインカムなどを運営できるように、すべての国家が国際協力を深める」という方向性だ。これによって、「人間全体の連帯」が初めて実現するかもしれない。これはかつての「(連帯の)理想」の実現だ。

第2の方向性は、「各国が自国第一主義を強め、さらには国内の各地域が自地域第一主義を強める」という方向性だ。この場合、人間の連帯はかえって国内限定または地域限定へと後退する。これは、従来の「(連帯の)不可能性」が続くか、またはより深刻になることを意味する。

〈不可知性〉の社会を、それ以前の近代社会(「理想の時代」「虚構の時代」「不可能性の時代」)と比べた場合の特徴は、この「理想」と「不可能性」の両方の方向性が潜在している点にある。もはや、理想を疑いなしに夢見る状況でもないし、不可能性に悲嘆しつづける状況でもない。もちろん、虚構を楽しめる状況でもない。理想と不可能性のあいだで揺れ動きつつ、冷静に〈不可知性〉と共存していくしかない。

そして人間の連帯は、諸個人が自らの生命や尊厳を〈不可知性〉の脅威から守るための、淡々とした現実的手段として、(それが人類全体での連帯であれ、国内限定の連帯であれ、あるいは人類全体と国内限定のあいだの東北アジアなどの近隣諸国での連帯であれ)何らかのレベルで要請され、実現されていくだろう。

実現の容易さとしては、国家主権によって国境間の人や情報の移動は比較的統制しやすいため、国内限定での連帯が最も実現が容易だろう。

他方で、人間の連帯を、（人類全体から近隣諸国、国内限定、地域限定までの）どの「レベル」で実現すべきと判断するかは、少なくとも、それを判断する個人の「危機意識」の強さと相関する。危機意識が強い個人ほど、「人類全体で連帯しなければ、〈不可知性〉の脅威から自分を守ることはできない」と感じるだろう。というのも、国境を容易に越えうる新型ウイルスや新型AIの〈不可知性〉から、自分たちの生命と尊厳を守るには、厳密に言えば、国境を越えた連帯（情報・資源の収集・開示・分配）が不可欠と思われるからだ。

そしてどのレベルであれ、何らかの人間の連帯の可能性を、「理想の時代」のように楽観するのでもなく、「不可能性の時代」のように悲観するのでもなく、自らの生存と尊厳を守るための「〈不可知性〉との共存」という不可避な課題に対処するための必要な手段として、各個人が現実的に考え始め、他者との議論を冷静に始めることができること。これが、〈不可知性〉の社会における希望の一つだろう。

いまや私たちは、②の問いに答えることができる。〈不可知性〉の社会において、私たちはいかなる「生きることの質」を享受することができるのか。それは皮肉にも、人間社会を攪乱する〈不可知性〉が現れたからこそ、各個人が「自らの生存」のために初めて危機感をもって、「他者たちと（何らかのレベルで）連帯すること」が必要だと実感できるようになったことである。加えて、その危機感を多くの他者たちと共感し合えるようになったことである。少なくともこれらのことは、この新しい社会において私たちが享受できる「生きることの質」ではないか。以上が、②の問いへの答えである。

7 ③の問いの深淵へ――〈不可知性〉に統治される未来をどう生きるか

しかし、③の問いに進むと、私たちは上記の②の答えにも困難が立ちはだかることに気づく。

〈不可知性〉の社会において上記の「生きることの質」（つまり連帯の必要性の危機的実感と共感）を私たちが享受できるための、条件とは何か。これが③の問いであった。

この問いに対して、まずすぐに思い浮かぶ答えは、次のようになるだろう。つまり、連帯のレベルがどのレベルであれ、少なくともその連帯する範囲（たとえば国や国内地域）のなかでは、〈不可知性〉に関連するさまざまな情報を、リアルタイムに収集・分析・開示し、連帯のために行政や諸個人が利用できる必要がある。情報の十分な収集・分析・開示がなければ、〈不可知性〉との共存も、そのための連帯も、不可能だろうからだ。

しかし、リアルタイムの膨大な情報を収集・分析するには、人間（の手や脳）の力だけでは到底不可能である。そのため、私たちはやむなく、（脅威となるかもしれない）新型ＡＩの力を借りることになるだろう（これを以下では「ＡＩへの技術的依存」と呼ぶこととする）。

するともし、連帯する人々全員にとって何らかの脅威となりうる新型ＡＩ（具体例は後述）が現れた場合には、ＡＩへの技術的依存にもとづく「人間の連帯」は、その前提から揺らいでしまうことになる。したがって、今後私たちが直面するより深い問題は、「新型ウイルスの〈不可知性〉といかに共存するか」という問題よりもむしろ、その先にある「新型ＡＩの〈不可知性〉といかに共存するか」という問題なのではないか？

ここで仮に、「人間社会がＡＩへの技術的依存を深めていく」という現在の流れの先（未来）に起こりうる事態、つまり、「ＡＩへの技術的依存」が人間社会で遍在化した事態を想定してみよう。

今後、「新たな日常」として（いつでも誕生しうる）新型ウイルスと共存していくために、ＡＩへの技術的依存が進むだろう。また同様に、新型ウイルス感染予防の目的で、生活世界のオンライン化も進むだろう。その上でいずれは、人々の生活世界のオンラインデータをＡＩが学習するようになり、「生活世界に対するＡＩによる統治」が進む、と想定できる。どういうことか。

今後、生活を構成するさまざまな「情報」だけでなく、さまざまな「物」までもが、インターネットにつながるようになり、諸個人のよりさまざまな生活情報がインターネットに送信されるようになる。また、ウェアラブル端末の発達と普及によって、諸個人のよりさまざまな生体情報がインターネットに送信されるようになる。

それらのリアルタイムのビッグデータを、人間は処理しきれないため、深層学習以降のAIが（新型ウイルス感染予防のために）パターン認識するようになる。その後、そのようなAIへの技術的依存は、次の2つのフェーズを経て遍在化していくだろう。

フェーズ1。新型ウイルスに感染した諸個人の生活情報・生体情報を、AIが処理して、それらの感染者たちと接触した可能性の高い諸個人を特定するとともに、〝今後それらの者たちと接触する可能性の高い諸個人〟をも特定する。その特定は、〝これまでの接触ネットワークのあらゆる情報パターン（主に移動や人間関係）をAIが学習した特徴量〟による接触予測なので、主に移動や人間関係のデータを使う。そしてそれらの諸個人は、そのうちの一部はまだ感染も接触もしていないかもしれないにもかかわらず、AIによる感染予防の指示に従うことを求められ、移動や人間関係などを制限される。

つぎにフェーズ2。まだ感染が判明していない諸個人の生活情報・生体情報を、AIが処理して、〝今後感染する可能性の高い諸個人〟を特定する。その特定は、〝これまでの感染者のあらゆる情報パターン（移動や人間関係だけでなく、生活スタイルや、「どんなメディア情報に触れたときにどんな生体反応が起こったか」といった価値観や感情に関するパターンも）をAIが学習した特徴量〟に基づく感染予測なので、あらゆる生活情報・生体情報のデータを使う。そしてそれらの諸個人は、まだ感染も接触もしていないかもしれないにもかかわらず、AIによる感染予防の指示に従うことを求められ、移動や人間関係だけでなく、生活スタイルやメディア接触などのさまざまな生活行動を制限される。

ここで留意すべき点は、この感染予測に使われる特徴量（判断基準）は、人間には実質的に不可知ということである。仮に人間がその特徴量を「解釈」できたとしても、次の瞬間に、ＡＩは別の新たな特徴量を膨大に学習してしまい、それによってそのＡＩは別の新型ＡＩへと変異してしまう可能性がある。これこそが、新型ＡＩの〈不可知性〉であった。

このように、人間には不可知な判断基準（特徴量）によって、感染危険性の高い生活行動や、感染危険性の高い諸個人が特定され、それらが規制の対象となっていく。これは、人間の生活世界に対する、「人間による統治」以外の、「（人間には不可知な）ＡＩによる統治」が始まることを意味する。

このような「ＡＩによる統治」、すなわち、非感染者を含むすべての人々を対象とする「ＡＩによる監視と行動制限」は、遠い未来のことではなく、すでに部分的に始まっている。たとえば、〝監視カメラの映像をＡＩがリアルタイムで画像認識して、人と人の距離が近い場合には警告音を発する〟というシステムが、すでに完成して実用可能である。[※18]

現在のシステムは、警告の対象となる対人距離を、たとえば「１・８メートル」などの具

※18　高橋忠弥「人と人が近づきすぎると警告を出すＡＩが発売――カメラ映像から測定」*Ledge.ai*、２０２０年５月７日（https://ledge.ai/3mitsu-alert-ai-camera、２０２０年６月１日取得）。

体的な数値であらかじめ人間が設定している。しかしやがては、警告の対象となる対人距離の数値は、その時々の対象人物たちの生活情報や生体情報に応じて、最適な数値をＡＩが（学習した特徴量によって）リアルタイムで判断し、警告音を発するようになるだろう。

そうなると、「なぜその距離をＡＩが危険と判断したのか」が人間には全く不可知なまま、多くの人々は「ＡＩが判断したのだから、きっとこの距離は感染の危険性が高いに違いない。人知を超えたＡＩの判断には、従うに越したことはない」と思い、ＡＩの〈不可知性〉に従って互いに離れるだろう。これが、「ＡＩ（の〈不可知性〉）に統治される」ということの具体例である。

現時点では、限定的で一時的な監視・行動制限にすぎない。しかし今後、生活世界のオンライン化に伴って、このようなＡＩによる監視・行動制限のシステムが、新型ウイルス感染予防の目的で、生活世界全般にまで遍在するようになると、メディア接触行動や価値観、感情までもが――しかも対象者本人や周囲の人々には知られないように巧妙に――監視・制限の対象になっていくだろう。

ＡＩは、ますます私たちにとって不可知なものとなり、私たちの生活世界に対する「ＡＩによる統治」も、不可知なものとなっていき、その遍在性と完成度を高めていく。繰り返しになるが留意すべき点は、そのＡＩの判断基準が、いかなる人間にとっても（その設計者にとっても）不可知ということだ。不可知であるからこそ、つまり人知を超えているからこそ、人々はＡＩの判断に従わざるをえない。

このようにして「ＡＩの〈不可知性〉による統治」は、生活世界で遍在化していく。そしてやがては、極端な例としては、〝最大多数の「生存」のための最も効率的な手段として、人間には不可知な選別基準によって「今後まわりに感染を拡大させそうな人々」として選ばれた一部の人々が物理的に孤立するように、人々全体の行動を誘導するＡＩ〟が、誕生するかもしれない。この場合、選別基準は不可知なので、誰もが「孤立すべき人々」として選ばれる危険性を負う。しかも、選別基準は（もしかすると誰が選別されているのかすら）誰にも不可知なので、誰もその選別に反論できず、人々はその選別をしたＡＩの誘導に従って行動するほかなく、選別された人々はＡＩの誘導どおりに、孤立していくことになるかもしれない。このＡＩの〈不可知性〉は、「誰もがいつでもそれによって孤立させられる危険性を負う」という意味で、あらゆる人々にとって、緊急事態が宣言されていないときですら、「愛する人と会う」などの「生きることの質」をいつでも奪いうる、尊厳上の脅威である。

以上が、「ＡＩへの技術的依存」がもたらす「ＡＩの〈不可知性〉による統治」であり、その先にありうる、ＡＩの〈不可知性〉があらゆる人々にとって尊厳上の脅威となる事態である。それでは、ＡＩの〈不可知性〉が脅威とならないためには、どうしたらよいだろうか？　あるいは、上記の脅威は、「最大多数の生存」のために誰もが受け入れざるをえないことなのだろうか？

新型ウイルスの〈不可知性〉との共存の先にある、新型ＡＩの〈不可知性〉と共存する未来、とりわけ新型ＡＩの〈不可知性〉に統治される未来に、私たちはどう向き合うべきか。またその未来を、あなたはどう生きるか。「ただ生きること」（生存）に還元できない「生きることの質」をめぐるソクラテスの問いは、〈不可知性〉に統治される未来でこそ重要さを増すのである。[※19]

（２０２０・６・19）

※19　かつて私は、近代社会が自己決定主義を前提としていることを明らかにしたうえで（柴田悠「自己は環境に適応すべきか」『哲学』第59号、２００８年）、「性質が不可知な存在（典型的には自然物や他者）を（自己と共存すべき相手として）求めつづけることこそが、自己決定主義の内在的限界（倫理や価値の崩壊）の克服につながるため、近代社会において倫理や価値といった『生きることの質』を成立させる条件である」と論じたことがある（柴田悠「自己決定主義の内在的限界とその克服」『社会システム研究』第13号、２０１０年）。そこにもしかすると答えのヒントがあるかもしれないと思いつつも、本稿で辿り着いた「〈不可知性〉に統治される未来をどう生きるか」という深淵の問いに対して、私はまだ答えを得ていない。

パンデミック・デモクラシー

中島隆博
（哲学）

1　朋あり遠方より来る、必ずこれを誅す

コロナウィルスが武漢で猖獗を極めている時に、中国のある地区で、出入りの際に合言葉のやりとりがあった。「朋あり遠方より来る」と問えば、「必ずこれを誅す」と答えるというものである。『論語』の冒頭の「朋あり遠方より来る、また楽しからずや」をもじったものであるが、ここに込められているのは、「そと」の人は潜在的な敵であり、「うち」に立て籠り撃退すべしという考えである。

その「うち」とは、家庭でもあるだろうし、地域のコミュニティやより大きな国家でもあることだろう。そして、その「そと」とは、外国人であったり、自粛を守れない人であったり、さらには自粛をちゃんと守ろうとしない人であってもよい。敵と友というわかりやすい

二項対立の中で、「うちhome（家、郷土、国家）」は軍事的な要塞と化していく。ただ、先ほどの合言葉が重要なのは、最終的には「朋友自体がいない」ことを突きつけたことだ。守るべき「うちhome」の中にもまた、何重もの分断線が引かれることで、結局何を守っているのかがわからなくなるのである。「最大の敵は自分自身である」ということに気づく人も出てくることだろう。そして、その「自分」を徹底的に監視し、ついには自己破壊に至ることも、あながち夢想ではない。

Stay homeという標語は言い得て妙である。それは、通りや街で生きる「そと」の生き方の対極にあるもので、安全な「うちhome」にいようという要請である。しかし、「うち」とは何であるのだろうか。すでにかつて「標準世帯」と呼ばれた両親と二人の子どもというモデルが総世帯数の5％にも届かなくなり、「単独世帯」が30％近くになろうとする今の日本社会において、守るべき「家庭」としてのhomeは決して大きな規模のものではない。しかもこの間、「家庭」の機能の中でもケアに関わる部分を「そと」に委ねてきたために、子どもの保育や老人の介護はすでに「家庭」では完結しなくなっている。その中でのStay homeである以上、この要請は「うち」の中に分断線を引き直すものにならざるをえない。より「うち」なるものと、あまり「うち」ではないものとの間の分断線である。その線の引き方には必ずしも決まったルールがあるわけではないために、ネグレクトされる子どもや老人が出てくることは、容易に予想できる。それにもかかわらず、Stay homeの要請の前では、

「そと」から介入する手が原理的には保証されない。る。「見捨てる」という言葉が再び蘇ってくる。

2 Don't feel at home

「見捨てる」という言葉に貫かれたのは、2011年の東日本大震災後の福島においてであった。放射線という目に見えない力に分断された福島で、どれだけ多くの人が見捨てられたことか。「棄民」という、突き刺さるような言葉を多く耳にしたことを忘れることはできない。とりわけ、精神的な「棄民」は深刻であった。福島のとある学校の先生が、生徒たちと「哲学対話」を一緒にやって、なんとか今起きていることを言葉にして、生徒たちを支えようとしていた。ところが、その学校の校長先生から「寝た子は起こさないほうがいい」という助言をもらい、その後、その先生は学校を離れた。

「うちhome」とは、場合によっては、分断し見捨てる暴力が生じる場所である。かつてハンナ・アーレントの研究会に参加していた時に、米国のある研究者が発した一言がとても印象に残っている。それは、アーレントの思想の一つの重要なポイントがDon't feel at homeにあるというものであった。「家にいるようにくつろいでいてはいけない」。全体主義という極限的な悪が何であるかについては、いくつもの見解がある。そのなかで、アーレントは「悪の凡庸さ」つまり「自分で考えることなく、言われたままに忠実に職務を遂行することで、悪を実現させる」というわたしたちの「官僚主義的な」あり方に注目していた。では、自分で考えて判断すれば回避できるのだろうか。それでは近代的な自律した個人の理性的判断というモデルと変わらない可能性がある。アーレントはここで、公共領域という複数の人々が意見を交換し合うアゴラを持ち出した。そこでは、自分から出ること、自分という安定した「うち」から外に出ること、そして自分の中にも違和感や別の目を感じることが必要なのだ。Don't feel at home という一言は、こうした理解を背景にして発せられたのだろう。もちろん、アーレントの公共領域のイメージが実にギリシア的であり、奴隷を含めてそこからどれだけ多くの人が排除されうるのかという問題はつきまとっている。それでも、全体主義が、Stay home に似た状況で「気づかないうちに」進行したことに対して、Don't feel at home という警句はたえず警鐘を鳴らしてくれているのだと思う。

3 デジタル全体主義

注意したいのは、21世紀の全体主義が20世紀のそれと同じであるとは限らないことだ。20世紀の全体主義にはアイコンとして独裁者とそれが代表する国家が厳然と存在していた。しかし、21世紀には独裁者不在・国家不在の全体主義が展開するかもしれないのだ。マルクス・ガブリエルはそれを「デジタル全体主義」もしくは「全体主義的な超帝国」という言葉で摑もうとしている（マルクス・ガブリエル、中島隆博『全体主義の克服』、集英社、2020

年)。20世紀の全体主義が最も知りたかったものは、ひとりひとりの内面であった。その人がいかなる思想の持ち主かを、特別警察や密告によって突き止めることに膨大なエネルギーが割かれたし、それこそが支配すべき対象であった。あなたは誰であり、誰と仲間であるのか。「仲間の名を告げさせる」ことにどれだけ熱心であったのかは、マッカーシズムというアメリカの全体主義の時代を振り返って、ロバート・ベラーがしばしば語っていたことである(ロバート・ベラー「丸山眞男の比較ファシズム論」、中島隆博訳、ロバート・N・ベラー、島薗進、奥村隆編『宗教とグローバル市民社会――ロバート・ベラーとの対話』、岩波書店、2014年)。

ところが、21世紀になると、すっかり様相が変わってしまった。人々は進んで自分の情報を、デジタル機器を通じてアップするようになったのだ。管理されること、監視されることが問題ではなく、適切に管理・監視されているかどうかが問題になったのだ。まるで、もっとも管理・監視したい対象は自分自身であるかのようである。日々付き合い続けているこの「自分」が何者であるのかを知りたいのは、誰よりもこのわたしなのだ。誰かと比較したり、過去の「自分」と比較したりして、その特徴を割り出し、支配し尽くしたいのである。そしてこの欲望は、すぐさま他人にも向けられていく。「デジタル全体主義」の独裁者はこうした「わたし」たちである。

それは、プライベートなものが公共領域を覆い尽くすことでもある。アーレントはフランス革命を批判する文脈で、「プライベートなもの」が公共領域に入ったことを「社会的なもの」と定義し、それによって公共領域が崩されたことに問題を見出していた。もちろん、「プライベートなもの」が単に私秘的ではなく、社会的な観点から論じられることには、積極的な意義がある。プライベートだと思われていたニーズ（必要）のなかで、貧困や格差といった社会構造が横たわっていることが明らかになるからだ。このことはフェミニズムやケアの倫理学がこれまで示してくれていたことである。

とはいえ、「デジタル全体主義」において展開しているのは、もうひとつ異なる事態のように見える。それは、公共領域が変質し、「社会的なもの」すら溶解させられるような事態である。さらに言えば、「プライベートなもの」自体が空白化するということだ。ユベル・ノア・ハラリ『ホモ・デウス――テクノロジーとサピエンスの未来』（柴田裕之訳、河出書房新社、２０１８年）の言う「無用者階級」にとって、「プライベートなもの」とはいったい何であるのだろうか。もはや私秘的なものもニーズも計算可能で、アルゴリズムに落とし込めるものだとすれば、何を根本的に守ろうというのだろうか。最後に守るべきは、その人の「生」だけなのか。

4 これは生政治なのか

コロナウィルス対策として、各国政府は検査と隔離を基本とするなか、ロックダウン政策を採用した。このことに噛み付いたのがジョルジョ・アガンベンである。非常事態であるとか安全の名のもとに、人々から自由を奪うばかりか、死者を弔うことを含む重要な人間関係を破壊し、人間に、生存するという生のあり方しか考えさせないようにしたと厳しく批判するのである。

自分の生が純然たる生物学的なありかたへと縮減され、社会的・政治的な次元のみならず、人間的・情愛的な次元のすべてを失った、ということに彼らは気づいていないのではないかと思えるほどである。永続する緊急事態において生きる社会は、自由な社会ではありえない。私たちが生きているのは事実上、「セキュリティ上の理由」と言われているもののために自由を犠牲にした社会、それゆえ、永続する恐怖状態・セキュリティ不全状態において生きるよう自らを断罪した社会である。(ジョルジョ・アガンベン「説明」、高桑和巳訳、『現代思想』2020年5月号　緊急特集＝感染/パンデミック――新型コロナウイルスから考える　Kindle の位置 No.406-411)

ミシェル・フーコーの「生政治」批判を独自の仕方で継承してきたアガンベンであれば、社会的・政治的な次元と人間的・情愛的な次元を湛えた生から、生存のみの生に人々を縮減していくのは、「生権力」のまさに望んだことということになる。これに対しては、ジャン

＝リュック・ナンシーによって批判がなされた。

標的を間違えてはならない。問われているのは、明らかに文明の全体なのだ。存在しているのは、生物、情報、文化の面でのウイルス性の例外化のようなものであり、これが私たちを巻き込んでパンデミック化しているのである。政府はこの例外化の哀れな執行者にすぎない。それゆえ、そのような政府を批判することは、政治的な省察というよりも陽動作戦に似ている。（ジャン＝リュック・ナンシー「ウィルス性の例外化」、伊藤潤一郎訳、『現代思想』２０２０年5月号　緊急特集＝感染／パンデミック——新型コロナウイルスから考える　Kindle の位置 No.143-147）

政府はナチズムのような仕方で「生権力」を体現するというよりも、「例外化の哀れな執行者にすぎない」という批判は、アガンベン自身が「社会的・政治的な次元」が失われていると主張することと表裏一体をなしている。わたしたちが直面しているのは、生殺与奪の権を握る強力な「生権力」というよりは、脱社会化・脱政治化・脱公共化してしまってプライベートなものが瀰漫した状況ではないのだろうか。

5　疫病と健康と主権

ホッブスはその『市民論』において、「市民的な繋がり（市民社会）」の外にある人間の状態を「自然状態」と名づけ、そこでは万人の万人に対する戦いが繰り広げられると考えていた。そこで登場するリヴァイアサンという主権者は、『リヴァイアサン』の表紙を見ると、ペストで家々が門を閉ざした都市を上から睥睨している。町の中を歩いているのは、武装した衛兵と鳥の嘴を有した防護服を着たペスト防疫の医者だけである。このことをアガンベンはすでにその著書『スタシス』の中で取り上げ、歴史学者であるフランチェスカ・ファルクの解釈を引きながら、こう述べていた。

彼ら〔衛兵と医師〕がエンブレムに姿を見せているということは「選択と排除を想起させ、疫病と健康と主権をイメージのなかで互いに関連づける」（Francesca Falk, *Eingeschlossen: Eine Geschichte der Grenze: Wie der Liberalismus an der Grenze an seine Grenzen kommt*, München: Wilhelm Fink, 2011,p.73）。表象不可能な群がり（マルチチュード）はペスト患者たちの群れにも似て、彼らの服従を監視する衛兵を通じてしか、また彼らを手当てする医師たちを通じてしか表象されえない。（ジョルジョ・アガンベン『スタシス——政治的パラダイムとしての内戦』、高桑和巳訳、青土社、２０１６年、Kindle の位置 No.792-795）

「疫病と健康と主権」こそが17世紀当時の社会の主要関心事なのだ。そして、キケロの「人民の健康が至高の法であるべきである Salus populi suprema lex esto」をホッブスが引用して、それを「統治者の任務」であるとしていることに、アガンベンは注意を払った。

「疫病と健康と主権」が21世紀の今、17世紀とまったく同じような仕方で主要関心事であり続けているわけではないかもしれない。しかし、それは形を変えて取り憑き続けている。ちょうど百年前に第一次世界大戦といわゆる「スペイン」インフルエンザの流行の後に、世界は現代的な形で「疫病と健康と主権」を実現しようとした。ロバート・N・プロクター『健康帝国ナチス』（宮崎尊訳、草思社、2003年）等が明らかにしてきたように、その一つの結末が全体主義であったのである。では、それに対してどのように抵抗すればよいのだろうか。とりわけ、21世紀が「デジタル全体主義」という形式を取りうるとすれば、さらにその抵抗の仕方は練り上げておかなければならない。

6 アデミアとパンデミア

さきほどの『スタシス』には続きがある。その健康を統治の任務にしているはずの「人民」についてこう述べられているのだ。

つまり、人民とは、人民としてけっして現前しえない、したがってただ表象〔代表〕しかされえない絶対的現前者のことである。人民を指すギリシア語の用語である

「dēmos」から取って、人民の不在を「アデミア」と呼ぶならば、ホッブズの国家は、あらゆる国家と同じく、永続的アデミアという条件において生きていると言える。（ジョルジョ・アガンベン『スタシス――政治的パラダイムとしての内戦』Kindle の位置 No.847–851）

これは重要な箇所で、リヴァイアサンは「永続的アデミアという条件において生きている」すなわち、人民は不在でなければならない、というのだ。訳者の高桑和巳が解説で述べるように、このアデミアは、20世紀には「アドルフ・ヒトラーが口にしたという表現（「人民のない空間（volkloser Raum）」）という形で取りあげられている」（同、Kindle の位置 No.1442–1443）ものだ。

そうであるならば、リヴァイアサンや20世紀的な全体主義に対抗する一つの可能性は、代理なしの人民の現前になるだろう。つまり、アデミアではなくパンデミア、あるいはその形容詞形でパンデミックであることだろう。

それは、コロナウィルスが蔓延し、デモクラシー自体がパンデミックに陥ってしまったように見える今の時期にはあまりにも不穏当であると思われるかもしれない。カール・シュミット的な「例外状態」に陥っていると診断する人々にとって、パンデミックこそがデモクラシーに危機をもたらしているものであるし、またその一方には、パンデミックがデモクラシーの機能不全を明らかにしたので、デモクラシーとは異なる統治のあり方を肯定すべきだと主張している人々もいるからだ。しかし、だからこそパンデミックとしてのデモクラシーの可能性を掘り下げておかなければならない。さもなければ、従来の「生政治」もしくは21世紀の「デジタル全体主義」に足をすくわれかねないし、デモクラシーを見捨てることになるからだ。では、パンデミックとしてのデモクラシーすなわちパンデミック・デモクラシーとはいったい何でありうるのか。

7 パンデミック・デモクラシーと新しい普遍

マルクス・ガブリエルは次のように述べている。

ウイルスのパンデミックの後に必要なのは、形而上学的なパン・デミックである。万人がすべてを覆う天のもとにいて、そこから逃れることはできない。わたしたちは今も、これからも、地球の一部である。わたしたちは今も、これからも、死すべき存在であり、弱いままであり続ける。

だから、わたしたちは形而上学的なパン・デミックという意味での地球市民・世界市民になろう。他の選択肢を取るとわたしたちは終焉を迎えることになる。そうなると、いかなるウイルス学者であってもわたしたちを救うことはできないのだ。(マルクス・

ガブリエル「精神の毒にワクチンを」、マルクス・ガブリエル、中島隆博『全体主義の克服』、集英社、2020年、27頁）

ここで述べられているように、パンデミック・デモクラシーとは、端的に言えば、世界市民のデモクラシーを今度こそ実現することである。そのためには、グローバル市民権をはじめとする普遍主義的な理想を鍛え直しておかなければならない。

19世紀的な近代西洋の普遍主義が崩れ始めたのは第一次世界大戦であった。その直前の世界は、現在以上のグローバル経済であり、緊密に相互依存した経済発展がなされていた。ところが、小野塚知二の指摘によると、こうしたグローバル経済によって、「繁栄の中の苦難」と称すべき、地域の衰退、過剰生産、全般的窮乏化がもたらされており、それに対しては社会主義とナショナリズムという解決策が取られたが、すでに「戦争は民衆心理の中で始まっていた」（小野塚知二編『第一次世界大戦開戦原因の再検討――国際分業と民衆心理』、岩波書店、2014年、246頁）。そしてその延長に全体主義と第二次世界大戦があったのだ。

グローバル経済が復活したのは、20世紀も後半になって、とりわけ冷戦構造が崩れ始めた後である。そして再び「繁栄の中の苦難」が顕著になり、地域の衰退、過剰生産、全般的窮乏化が世界的に進行していった。グローバル化への嫌悪が広がり、ブロック経済化の兆候が見えていた時に、このコロナウィルスのパンデミックである。国民国家単位で国境を封鎖し、移動を制限している状況を見ると、社会主義とナショナリズムという解決策がもう一度登場する可能性もなくはない。

それでも、百年前の轍を踏むわけにはいかない。この間鍛えてきた哲学的な構想力を今こそ実践すべきである。その中心になるのが、「新しい普遍」である。従来の西洋中心主義的な普遍の弊害は繰り返し指摘されてきた。それに対抗するのに、地域的な特殊性を強調することがしばしば見受けられたが、往々にして西洋中心主義的な普遍を補強するか、別の形で反復することに終わっていた。そうではなく、普遍自体の普遍化が必要であったのだ。つまり、神もしくは理性という根拠に基づく西洋中心主義的な普遍は普遍的なものではなかったのである。そうではなく、感情に貫かれ、身体を通じてその生を生きる、人間という動物に定位した「新しい普遍」が必要であったのだ。グローバルな市民権や人権は、その「新しい普遍」において定義されなければならない。

これは、19世紀的な人間中心主義を見直すことに直結する。動物や植物そして環境に対して、非倫理的で過度な負荷をかけて維持されている人間中心主義的なシステムを、今度こそ変更しなければならないのだ。それは、政治・経済・科学が織り成している現在の社会システムを変え、未来の社会システムを構想することにほかならない。

8 未来の社会システムを構想する

では、どのような未来の社会システムを望めばよいのだろうか。それは、「可能性」の延長にあるというよりはむしろ「可欲性」の次元にあるものだ。わたしたちがいかなる未来を欲し望むのかという、構想力が問われているのである。

その際に重要なのは、わたしたちが相手にしているのは複雑系だということだ。つまり、未来をどう構想するかということそれ自体が、未来に影響を与え、未来に組み込まれるということである。どこか超越的な位置にいて未来を眺めているわけではない。したがって、一つのピースをいじれば、それが社会システムに多くの影響を与えることを、よく考えておかなければならない。

具体的にこのコロナウィルスのパンデミックから考えてみよう。議論の焦点の一つは、監視社会に陥らずに、しかし適切な情報の共有をどうはかるかにある。最初に見たように、プライベートなものを人々が「自発的」に提供することをそのまま利用すれば、監視社会を作り上げるのはさほど難しいことではない。スコアリングを導入すれば、さらに人々の「自発性」は高まることだろう。問題は、そのようにして実現可能な「安全」な社会を望むのかということである。ここで問われているのは、人間の生のあり方なのだ。安全に生存できるのであれば、自由や権利がある程度損なわれても仕方がないと考えるのか、それとも安全な生存と自由や権利のトレードオフという枠組み自体を問い直し、人間の生を別の仕方で定義するのか。

わたし自身は、今こそテクノロジーの出番であり、人間の生の条件を豊かに整えることで、安全な生存と自由や権利の普遍化を同時に実現することを望みたい。つまり、監視に導かず、単純化した判断をさせないような、高度なテクノロジーを実現することである。

3・11の後に、科学や技術に対する深刻な不信が広がったことを思い出そう。その核にあったのは、科学や技術が「安全」な生存を主張すればするほど、それが人間の生の条件を損なっているのではないかという疑問であった。原子力によって作られる電気が、社会的な貨幣となり、それを欲望させる回路ができていたのだが、はたしてそれは人間の生を豊かにしたのか、逆に人間の生を損なう方向性を開いてしまったのではないのか。まき散らされた放射線だけが人間の生を損なったのではなく、当時の科学や技術が前提にしていた「安全で安心」というイデオロギーが人間の生を深く損なったのではないのか。

それは経済のあり方とも連動している。今日の資本主義は、過剰消費のサイクルを無理に回すために、モノやコトにおいて差異を作り上げ欲望を惹起し続けている。それを支えるマインドセットや言説と科学や技術が連動することで、決して実現することのないイノベーションへの信仰が生まれもしたのである。

こうしたなかで、人間の生は、科学や技術そして経済による管理対象になってしまった。しかし、科学や技術そして経済は本来、人間の生の条件を豊かにするものではなかったのだろうか。そして、それらにはそれだけの力が備わっているのではないのだろうか。

コロナウィルスという「未知」なるもののパンデミックは、このようにすでにわかっていた「既知」の問題をあぶり出している。格差、貧困、差別、非倫理的な大量消費、制度疲弊、神話化された科学主義の弊害はすでに十分知られていた。ところが、わたしたちは、それらに対する手当てを怠り続けてきたのである。

9 政治のあり方とデモクラシー

とはいえ、手当てを妨げてきたのは、必ずしも個々人の怠惰や無作為によるわけではない。個別最適化は常に目指されてきたのだが、それが連動してより大きな仕組みにおける最適化に繋がらなかったのだ。それはチャールズ・テイラーの言葉を借りれば、「社会的想像social imaginary」（チャールズ・テイラー『近代――創造された社会の系譜』、上野成利訳、岩波書店、２０１１年）が不十分であったことにほかならない。人間の生を豊かにするような未来の社会がどうあれば望ましいのか。これはどうしても倫理的な判断を伴うものだ。お仕着せの道徳主義にならないような倫理を概念化する作業がどうしても必要になる。「人間とは何であるのか」が再び根本的に問われなければならない。これは哲学の使命であるはずだ。その上で、科学や技術そして経済と対話し、ともに社会的想像を鍛え続けることではじめて、人間の生が豊かになる社会が実現するのである。

しかもそれは、一国に限定された社会的想像にはならない。パンデミック・デモクラシーを考える以上、世界的な広がりをもたざるをえないし、世界に何らかの形で寄与すべきなのだ。

たとえば、政治のあり方を考えてみよう。意志決定が適切になされ、それがうまく共有されるにはどうすればよいのか。もしルソー的な一般意志を想定するのであれば、テクノロジーを通じて、個々人の特殊意志として表明されるものをも超えて、その気づかないニーズまでも細かく汲み取り、それを正しく代理すればどうだろうか。それならば、意志決定が適切になされ、すみずみまで共有される可能性が高まるはずである。このことはすでに、日本では東浩紀が一般意志2・0という概念で問うたことである（東浩紀『一般意志2・0――ルソー、フロイト、グーグル』、講談社、2011年）。また、中国にも、党国論すなわち共産党と国家の関係を論じるなかで、共産党こそが一般意志の体現者であるから、それは国家をも凌駕するという議論がある。これは、デモクラシーを標榜している他の国々において、特殊意志を代理しているにすぎない複数の党が国家の下にある状況よりは、ルソー的に言えば、よりデモクラシー的ではないかという議論にも繋がりうるものだ。

しかし、ハンナ・アーレントがフランス革命を批判した際に、念頭に置いていたのはこうしたルソー的な一般意志であった。それは「一つの声」にすべてをまとめ上げたために、複数性を損なってしまったというのである。アーレントがその代わりに想定していたのは、トクヴィル型のデモクラシーであり、それが「アメリカ革命」を支えたという診断であった。

トクヴィルのデモクラシーの核心は分権的な地方自治にある。平等に支えられた複数の声が自由に意見を言い合うことを通じて、多数者の専制に陥らないような仕方で意志決定をし、それを共有する。こうした政治のあり方が、少なくとも「アメリカ革命」の時期のアメリカにはあったというのである。

トクヴィルがアメリカのデモクラシーの対極に置いていたのは、専制に陥ってしまったフランス革命のデモクラシーだけではない。渡辺浩が指摘するように、当時の中国のデモクラシーもそこには含まれていた。

しばしばなされている理解と異なり、トクヴィルにおいてデモクラシーとは、単に当時のアメリカの状況ではない。また、単にヨーロッパの将来でもない。当時の中国の現実だったのである。ただし、それは、デモクラシーが、非常に悪い方向に進んだ実例である。すなわち、トクヴィルの理解では、当時の中国は、「専制君主」に支配された「デモクラティックな社会」だった。そして、その政治形態は「専制」だった。まさに、「デモクラティックな専制」《despotisme démocratique》だったのである。（渡辺浩「アレクシ・ド・トクヴィルと三つの革命――フランス（一七八九年―）・日本（一八六七年―）・中国（一九一一年―）」、三浦信孝・福井憲彦編著『フランス革命と明治維新』、白水社、2019年、129頁）

平等に基づくデモクラシーと専制の結合として、トクヴィルは当時の中国を見ており、それがアメリカの未来であるかもしれないと考えていたのである。

そのアメリカのデモクラシーもまた大いに変質してしまった今、トクヴィルが当時のアメリカに見ようとしたデモクラシーの理想を、どのようにしてパンデミック・デモクラシーに継承するのか。この問いが、今のコロナウィルスへの対応において、あらためて問われているのである。

10 大学の役割

ここで大学の役割について少し述べておきたい。専門家を数多く抱える大学が、社会的な意志決定に対して、その材料となる見解を提示することは大きく期待されているはずである。とりわけコロナウィルスのような「未知」の現象に対する判断を下すために、専門的な知見は重要な判断材料である。しかし、これまで見てきたように、それだけでは適切な意志決定は構造的にできない。意志決定の仕方そのものを、大学は発明しなければならないのである。それはもはやルソーやトクヴィルの時代の概念を反復するだけでは不十分であろう。大学の役割は、そのための新しい概念を作り上げることなのだ。

しかし、現状では、異なる学問分野を横断することがやっとの状況で、真に専門知が結合しているとは言い難い。専門知の間の翻訳や比較も必要ではあるが、より重要なのは、専門知の突端同士が正面から出会い、お互いを変形しあうまでに関与することである。

こうしたことが大学において生じ、そこで学生が学ぶことができれば、人材の養成の仕方が根本的に変化するはずである。コロナウィルスのパンデミックに対する日本の対応に不満を抱く人たちにとってもっとも不安なことは、現状の正確な分析と未来のヴィジョンに基づいた意志決定がなされているのか、そしてそれに責任を持って対応している人材がはたして十分にいるのか、ということであろう。

医療崩壊を早くから心配しなければならないほど、医療のシステムはすでに弱体化していた。戦後ＧＨＱの理想主義のもとで作り直された保健所のシステムも、ある時点を超えると悲鳴が聞こえるほどになった。また、政策判断を立案し実行すべき官僚組織の疲弊はずいぶん前から深刻であった。そこに襲ってきたコロナウィルスのパンデミックは、こうした制度疲労によって、より弱い立場にいる人たちを深刻な危機に晒したのである。

もし大学が新しい社会的想像を提示し、専門知の真の結合を成し遂げ、それにふさわしい人材を養成していれば、ひょっとすると別の展開もありえたかもしれない。そして、それは、わたしたちに、普遍に開かれたあらたな生の形式を示しえたかもしれないのだ。

11 来るべき生の形式

アガンベンは、生の形式として、かつての修道院規則に言及していた（ジョルジョ・アガンベン『いと高き貧しさ――修道院規則と生の形式』、上村忠男・太田綾子訳、みすず書房、2014年）。「いと高き貧しさ」を追求する生の形式は、その後の所有権を中心とした生の形式とはまったく異なるものだ。また、マイケル・ピュエット（マイケル・ピュエット&クリスティーン・グロス＝ロー『ハーバードの人生が変わる東洋哲学　悩めるエリートを熱狂させた超人気講義』、熊谷淳子訳、早川書房、2016年）のように、中国の「礼」という概念を再定義し、感情に基づき感情を陶冶するリチュアルを生の形式として生きることの意義を示している人もいる。

それはどちらも、感情に貫かれ、身体を通じてその生を生きる、人間という動物に定位した普遍的な生の形式を言祝ぐものだ。こうした生の形式は、日本でも道元がその禅寺の規則（たとえば清規《しんぎ》など）を通じて開こうとしたものでもある。それは、プライベートなものをそのままに拡張することではない。プライベートなものが生の形式を通じて変容することが必要なのだ。それをひとまずパーソナルなものの成立だと考えてみたい。アガンベンと類比的に言うならば、剝き出しの欲望に定位するプライベートなものに対して、パーソナルなものはより社会的であり共感的なあり方を示している。

わたしはそのパーソナルなあり方をHuman Co-becomingすなわち「他者とともに人間的になる」あり方として考えようとしている。それはHuman Beingという、存在者として人間を捉えるアプローチとは異なるものだ。後者は、主体、主権、所有権といった近代的な概念系にあまりにも囚われており、人間中心主義を支えてきたものである。

人間は放っておいても人間的になるわけではない。それは他者とともに人間的になっていくほかはないのだ。そして、これは孔子以降、「仁」という新しい概念のもとで、繰り返し問われてきたことにほかならない。

「朋あり遠方より来る、また楽しからずや」。再び『論語』冒頭の言葉に立ち返ろう。コロナウィルスのパンデミックにおいてこそ、わたしたちはこうした連帯が必要なのだ。パンデミック・デモクラシーは友愛としての連帯の現代的なあり方なのである。

（2020・07・01）

もうひとつの別の経済へ

大澤真幸（社会学）

1　終わりなき終わり

終わりなき終わり

われわれは今、終わりなき終わりの時代を生きている。

新型コロナウイルスの急速な蔓延を通じて、人類は一瞬、終わりを見た——あるいは見つつある。終わりはこんなふうにやってくるのではないか、と。世界の終わり、人類自身の終わり、あるいは資本主義の終わりは……。

現在、われわれの最も切実な問いは、こうであろう。この状況はいつ終わるの？　終わりと隣接しているこのような状況は、いつ終わりを迎えるのか？　この問いに対する最も誠実な答えは、「これは終わらないだろう」である。

まず、この新型コロナウイルスに限っても、小康的な時間を挟みつつ、第二波、第三波の感染の流行が襲ってくるだろう。さらに、新しいウイルスは、現在の新型コロナウイルスで終わるわけではない。第二、第三のウイルスが人間社会に侵入してくる可能性が高いと考えなくてはならない。というのも、現代社会は――グローバル化した資本主義社会は――、新しいウイルスに対して二つの意味で脆弱だからだ。第一には、開発が進み、人間が住む世界が野生動物の世界に接近し、両者の間の緩衝地帯が著しく小さくなったこと。第二に、人間の移動が頻繁になり、ウイルスの感染の速度が著しく大きいこと。このように推論を拡張していくと、ひとつのことに気づく。現在のコロナ禍は、人新世に固有な現象の一部と解すべきだということに、である。

人新世とは、地球の生態系の基本的な性格を規定するほど、人類の活動の影響力が大きくなった時代を指すのに、専門家たちが使っている用語である。[※1] いつからが人新世であったのかは個々の専門家によって見解が分かれる。たとえば産業革命以降とする者もあれば、二〇世紀末期以降とする者もあり、さらには農業を始めてからとする者さえもいる。人新世がいつからかはここでは重要ではないが、われわれはこの概念が説得力をもつ時代、この概念の意味を実感できる時代を生きていることは間違いない。人新世には次のような逆説がある。

※1　Paul J. Crutzen et al. The "Anthropocene", *Global Change Newsletter*, Vol. 41, 2000.

人新世とは、自然が人間と相関的であるということが、認知的な意味だけではなく、即物的な意味をもつようになった、ということである。つまり人間は、十分に強力になり、自らの生の基本的な条件となるような自然にまで影響を与えるようになったのだ。いまや、人間や社会にとって完全に外的な環境としての自然なるものは終わった（自然の終焉）。このとき逆に、人間は、自らが、地球という小さな天体の環境条件を究極的には受け入れるほかない一つの動物種であることを自覚させられることになる。つまり人間は、自然を征服したときに、逆に、自然に規定された弱い動物種であることを自覚した。というのも、自らの活動によってもたらした自然の変化を、人間は制御することができず、以前より一層大きな——あるいは以前にはなかったような——大きな損害を被ることになるからだ。地球の温暖化も、海面の上昇も、そして超大型の台風等の異常気象も、すべてそうした現象に含まれる。

そして、グローバル資本主義の野生領域への侵出が、人類のウイルスへの脆弱性の原因になっているとすれば、新型ウイルスの感染症の拡大もまた、人新世の逆説のとりわけ先鋭な現れのひとつと見ることができる。そうだとすると、「この状況はいつ終わるのか？」という質問はナンセンスだ。「この状況」が、この目下のウイルス禍を一部に含む人新世的な社会変動の全体だとするならば、そして、「終わる」ということがこのウイルス禍が起きる前の世界への復帰を意味しているのだとすれば、「この状況」が「終わる」ということはもはやないからだ。仮に、現在の新型コロナウイルスの脅威は、たとえばワクチンや治療薬の発明などによって取り除かれたとしても、人新世に規定された危機がつねに潜在している。

だから、われわれは終わりなき終わりの時代を生きることになる。こう主張するとき私は、宮台真司が四半世紀前の地下鉄サリン事件の後、オウム真理教の信者とそのシンパに対して言ったスローガン、「終わりなき日常を生きろ」が念頭にある。※2 オウム信者は、終わりの幻想に魅了されていた。それに対して、宮台は、華々しい終わりなどはやってこない、終わりなき日常を生きるべきだ、と説いたのだった。かつては、終わりというものは一瞬のうちに到来するものであり、日常は終わりがないのが当然だった。だが、今後、われわれが生きるのは、「終わり（に隣接する時間）」が終わらない、という状況である。つまり日常こそが「終わり」の時間だという状況である。すると、現在さかんに唱えられている「新しい日常」という語は、不吉な響きを伴っていることに気づく。それは、終わりなき終わりの言い換えではないか、と。

希望の前の絶望

「この状況がいつ終わるのか？」と問うとき、人は、まだその「終わりなき終わり」を否認し続けている。この運命を受け入れてはいないのだ。それも当然であろう。この「終わり」

※2　宮台真司『終わりなき日常を生きろ――オウム完全克服マニュアル』ちくま文庫、1998年。

が終わらないのだとすれば、まったく希望がない、と言っているに等しいのだから。希望をもつためには、この終わりがいつか終わると想定しないわけにはいかない。
だが、そうだろうか。終わりなき終わりを直視することは、希望をもてない、ということなのか。そうではない。あえて誤解を恐れずにいえば、ほんとうの希望をもつためには、むしろいったん絶望しなくてはならない。終わりをいったんはっきりと認めなくてはならない。逆説的な言い方になるが、真正の終わりを乗り越え、さらなる希望をもつ唯一の方法は、終わりの不可避性を受け入れることである。
そのように考える根拠は、エリザベス・キューブラー・ロスが『死の瞬間』で述べていることである。[※3]この本によると、末期癌など死が確実な病を得ていることを告知された患者は、最終的に死の事実を受け入れ、覚悟を決めるまでに五つの精神のステージを歩む。最初、患者は、事実を単純に拒否し、「否認」する（「そんなことが私の身に起こるはずがない」）。その後、「怒り」の段階（「どうして私がこんな目に合わなくてはならないんだ」）等を経て、最後の第五段階において、人は、死を真に「受容」する。キューブラー・ロスによると、死だけではなく、人生におけるさまざまな不幸や破局に対する態度においても——たとえば失業や破産や失恋などに関しても——、人は同じステップを歩む。[※4]
ここで重要なのは、第五段階の死の「受容」である。このとき人は、単純に希望を失い、不活性になるわけではない。そのような状態は、一つ前の第四段階、「抑鬱」と名付けられた段階においてやってくる。第五段階では、人は、むしろ死の運命に対して前向きである。来るべき死に対して準備をするようになるのは、この段階に達したときだ。要するに、この段階に至ってはじめて人は、死という破局に対して、それまでよりも高い精神的な境地に到達するのである。

同じことは、現在のコロナ禍にも言えるのではないか。この危機を乗り越えるためには――人新世というコンテクストの中でこの危機を乗り越えるためには――、われわれは、生活様式も社会構造も、そして（社会的に容認されている）テクノロジーに関しても、これまでの価値観や想定を否定するような、根本的な変更を必要とする。つまり、これまでの価値観を相対化するような精神的な境地に立つ必要がある。それをなしうるのは、キューブラー・ロスのいう第五の段階に達したときのみである。つまり、破局（終わりなき終わり）を不可避の運命として、いったんは完全に受け入れる必要がある。

キューブラー・ロスの図式を適用したとき、実際のわれわれは今、どのステージにいるの

※3　エリザベス・キューブラー・ロス『死ぬ瞬間』鈴木晶訳、中公文庫、２０２０年。

※4　スラヴォイ・ジジェクが、キューブラ・ロスの五段階図式を使って、新型コロナウイルスのパンデミックへの人々の態度について論じている。われわれは、ジジェクのこの議論からヒントを得ている。S. Žižek, *Pandemic!*, OR Books, 2020, Chapter 5.

か。「否認」「怒り」に続く第三のステージ、ちょうど真ん中の段階にあたる「取引」が、われわれの現状である。これは、運命との取引によって、破局（死）の意味を小さくしたり、破局を延期できないか無駄にあがく段階である。現在、われわれは、在宅勤務の比率を増やすとか、できるだけマスクをつけるとか、食事中のおしゃべりを減らすとかといった程度の犠牲で手を打ってくれないか、と運命と交渉している最中だ。しかし、この程度のことで運命は譲歩してはくれないだろう。なぜならば、問題は、このウイルスだけではないからだ。[※5]

2 「ソフィーの選択」を超えてBIへ

「ソフィーの選択」のような

以下では、キューブラー・ロスの第五段階に入ったとして、われわれは何ができるか、何をすべきかについて、「経済」という主題に絞って考えてみよう。コロナ禍は、さまざまな領域の問題を一挙に、同時に浮上させた。その中で、経済は、「健康」という主題の次にわかりやすい問題である。

さて、新型コロナウイルスの感染の蔓延によって、日本を含む地球上のすべての国は、経済に関して、トロッコ問題的なギリギリの選択状況に立たされた。いや、トロッコ問題の究極のヴァージョンとも見なしうる「ソフィーの選択」、真正の「ソフィーの選択」を迫られた。トロッコ問題では――どちらを選択したとしてもハッピーとは言えないにしても――一方の選択肢が他方よりもよい、ということは明らかである（トロッコがそのまま直進すれば五人を殺すことになるが、引き込み線の方へと回避すれば、犠牲者は一人で済む）。だが、アラン・パクラ監督によって映画化された、ウイリアム・スタイロンの小説『ソフィーの選択』では、主人公はもっと困難な選択を強いられる。第二次世界大戦中、ポーランドで反ナチス闘争にかかわったソフィーは、幼い二人の子供とともに強制収容所に送られた。アウシュヴィッツの駅で、彼女は、ナチスの将校から告げられる。「どちらかの子を選べ。その子は救われるが、選ばれなかった子はただちにガス室に送られるだろう。あなたがどちらも選ばなかったときには、二人の子はともにガス室送りになる」。どちらかの子だけを選ぶわけにはいかない。しかし、選ばないわけにもいかない。結局ソフィーは、二人のうちの一人を、女の子ではなく男の子の方を選ばざるをえなかった。

※5　キューブラー・ロスの五つの段階とプロテスタントの予定説と比較してみるとおもしろい。予定説においては、信者は、ポジティヴな終わり――終末における救済――を必然として前提にして、行動する。それに対して、キューブラー・ロスの第五段階では、述べてきたように、患者は、否定的な終わり、つまり破局を前提にして行動する。キューブラー・ロスの研究から示唆されることは、一見、絶望と抑鬱を招くことになるように見える「破局の受容」のケースにおいて、人は――救済という希望的な結果を予定したときよりも――いっそう積極的に、大胆な選択をなすことができる、という逆説である。予定説をここで参照することにどんな意味があるのか。ヴェーバーによれば、予定説こそ、資本主義の精神に直結している。とすれば、キューブラー・ロスの図式の応用を通じて、資本主義的な行動を超える態度を見出すことができるかもしれない。

われわれも今、同じジレンマのうちにある。ウイルスの感染の拡大を防ぐためには、われわれはときに——いや頻繁に——、家の中に留まり、活動を制限しなくてはならない。医療関係者等の「エッセンシャル・ワーカー」ではないすべての人は、感染拡大の恐れがあるときには移動や、家庭外の活動を制限しなくてはならないのだ。しかし、このことによって、経済は麻痺し、大量の失業者が生まれ、そして夥しい数の企業が倒産するだろうし、すでに倒産してきた。最初は飲食店や中小企業が主として倒産し、やがては、国を代表するような企業、たとえば大きな航空会社が経営危機に陥るかもしれない。

感染の抑止か、経済活動か。これは、完全にソフィー的な選択である。両方を十分に満足させることができないことは、誰にでもわかる。あれか、これか。どちらかを選ばなくてはならない。感染の拡大速度がどの程度のときに、どのくらい経済活動をどのくらい制限すればよいのか。そんな研究もなされている。感染が急激に拡大しているときに、強引に経済活動を再開させても、かえって経済の損失も大きくなる。ドイツのIfo（経済）研究所とヘルムホルツ感染研究センターが二〇二〇年五月に発表した共同研究によれば、実効再生産数Rt（一人の感染者が何人に感染させるか）が0・75になるレベルの経済制限が、経済的損失を最小にする。Rtが1以上であれば、経済活動を極力抑えるべきなのは当然だが、Rtをゼロにすることは不可能だし、またそれを目指したときの経済的な損失は大きすぎる。Rt＝0・75程度の感染縮小になる経済活動が最適だというのだ。[※6] いずれにせよ、徹底した感染の抑止と十分な経済活動が両立できないことは間違いない。感染拡大の防止を優先させたときには、十分な経済活動ができないために不況が長引き、失業者が街に溢れることになる。

われわれの現状は、ソフィーの選択よりは少しはましだ、と思う人もいるかもしれない。ソフィーの場合、どちらを選んでも、子の命を犠牲にするわけだが、いま私たちが直面しているのは、命か、経済的利害かの選択なのだから。となれば、多少の痛みがあっても前者をとるのは当たり前ではないか。しかし、これほどの経済活動の縮小は――すでに多くの人が主張しているように――やはり命に関わることだと言わざるをえない。※7

全面的ではないにせよ、一定の経済活動の制限が必要になる時期は頻繁に訪れると考えなくてはならない。その時間の総計は非常に長くなる。現在の新型コロナウイルスに限ったとしても、第二波、第三波の流行があると考えなくてはならない。さらに、ウイルスや感染症の出現は、この新型コロナで終わるわけではない。そして、何より、先に述べたように、われわれは人新世の災害のコンテクストの中で考えなくてはならない。すると、不吉な予感も

※6　これはドイツの医療状況等を前提にして導いた数字なので、どこでも当てはまるわけではない。
※7　私は、ここまで、目下の状況は、「真正の」ソフィーの選択である、と述べてきた。それは、真正ではないケースがあるからだ。たとえば、私は、二〇一一年の3・11の原発事故の後になっても、脱原発へと断固とした歩みを進めることができない日本人のあいまいな態度を、「偽ソフィーの選択」と見なすことができる、と論じた（大澤真幸『夢よりも深い覚醒へ』岩波新書、2012年）。

する。将来のパンデミックは、他の生態学的な危機、例えば大旱魃とか、超大規模なハリケーン等の気候変動とセットにやってくるかもしれない。これは十分にありそうなことだ。

すると、パンデミックの期間中はもちろんのこと、おこりうる脅威——パンデミックを含む生態学的な脅威——に備えた経済活動の抑制や停止は、われわれの経済システムの破壊を意味するものになりうる。それは、とてつもなく多くの人々の生活を破綻させるだろう。

彼女は自殺した……

『ソフィーの選択』で、ソフィーのアウシュヴィッツの駅でのおぞましい体験が語られるのは、終盤である。物語の大半は、ソフィーをめぐるふしぎな三角関係を描く。場面は、第二次世界大戦が終わって間もない時期のニューヨークである。彼女は、二人の男から求愛される。一人は、作家志望の若い男で、語り手でもある。もう一人は、エクセントリックな自称「生物学者」。ソフィーはどちらの男を選ぶこともできない。

さまざまなことがあったのちに、ソフィーは、まともな方の男——作家志望の男——とともに逃げ出す。その逃亡の最初の夜に、ソフィーは、アウシュヴィッツの駅でのことを男に打ち明ける。このとき初めて、映画を見ていたわれわれは気づくのだ。この恋の三角関係自体が、ソフィーにとっては、あのアウシュヴィッツの駅での選択の反復だった、ということに、である。そこまでの展開で、ソフィーの三角関係への対応があまりにも不器用なことに、見ている者は苛立ちを覚えている。どうしてソフィーはもっとはっきりと選ぶことができないのか、彼女はどうしてダメな男の方への想いを断つことができないのか、と。しかし、この恋が、アウシュヴィッツの駅での選択の反復だとわかると、ソフィーの逡巡の意味がわかってくる。

結局、ソフィーは、一夜を過ごした後、若い男から去り、「生物学者」の男のもとに戻り、二人で自殺してしまう。彼女は、だれがみても悪い方の男を選んだ上に、その男とともに自害したのだ。この悲惨な結末が示していることは、ソフィーは結局、一人の子を犠牲にしてしまったことに由来するトラウマをこのような方法でしか解決できなかった、ということである。[※8]確かに、アウシュヴィッツの駅で彼女にはあれ以外の選択肢はなかった。誰もソフィーを責めることはできない。しかし、このことは彼女にとって慰めにならない。『ソフィーの選択』は、ソフィーがあの選択をどれほど後悔し、それをどうやってやり直そうとして挫折したのか、ということについての物語として読む（観る）ことができる。

※8　終戦後のソフィーのもとには、あのとき救った男の子もいない。ソフィー自身はアウシュヴィッツを生き延びることができたが、男の子の方は生き残れなかったのである。

どちらも諦めない

この教訓は何か。ソフィーが直面したような究極の選択を前にしたとき、われわれは諦めてはならない。つまり一方を取って、他方を犠牲にする、という選択に満足してはならない。何としてでも、どちらにも執着し、両方をとらなくてはならないのだ。目下の状況においては、それは何をすることを意味しているのか。

これに対する暫定的な回答は、理屈の上では、それほど難しくはない。実際、その方向への歩みはすでに始まっている、と言ってよい。つまり、どんな政治家でも、その人がどんなイデオロギーを信奉していたとしても、右派であろうが左派であろうが、そうするほかない、というような方法がひとつだけある。それは何か。仕事を失った人、仕事を休まざるをえなかった人に、生きる上で必要な額にあたる金額を支援すること、これである。

一方では、ときに、諸個人の自己隔離を含む感染症対策が、その個人の健康のためにも、また他の人々の健康のためにも、不可欠になる。他方で、経済に関しては、さしあたっては、通常の業務や労働ができなくてもよい。ただ、全員に、安全かつ安心で、そして人間らしい生活を送るに十分なだけの経済的な援助がなくてはならない。そうすれば、結局、ソフィーの選択の状況で、どちらの選択も断念せず、両方をとったことになる。

例えば日本政府は全国民に、一人当たり一〇万円を一律に給付することを決め、それを実施した。これは、いまここに論じている「正解」への最初の小さな一歩ではある。「一人当たり平等に一〇万円」は、これまでの日本政府の常識からすれば、画期的に言ってよいレベルの寛大な給付である。とはいえ、コロナ危機との関係では、この金額はまだまだ不十分である。一カ月で感染症の危機がすべて除去されるのであれば、かろうじて許される額かもしれないが、現在の新型コロナウイルスに対するワクチンや治療薬が開発され、普及するまでの時間は、それより何十倍も長い。さらに、今後も侵入してくる新たなウイルス、さらに人新世に固有の脅威のことまで考慮に入れれば、一〇万円はあまりにも少ない。今後、何十万、何百万もの人々が貧困化するのを座視できないとすれば、日本政府はすぐに追加的な支給を必要とするだろう。

ここで、多くの日本人が、今回のコロナ禍への各国政府の対応との関係で思ったに違いないことについて、一言述べておこう。日本よりはるかに感染者数も死者数も多かったヨーロッパ諸国は、都市のロックダウンを行うなど、国民の行動・移動を強く制限した。その代わり、休業したり、失職したりした労働者への補償の金額は大きく、その支給も極めて迅速だった。給料の八割にあたる金額が補償されているとか、ネットを通じた簡単な申請のあと、わずか数日で日本円で何十万円にもあたる金額が口座に振り込まれたとか、といった話を聞くと、日本人は羨ましく思っただろう。どうしてわが政府にはそれができないのか。一人一〇万円の支給さえも渋ったのはどうしてなのか。その最大の理由は、日本政府の借金額があまりにも大きいことにある。国債を発行することで財源を得るしかないが、これまで蓄積してきた借金額が多すぎて、これ以上、借金をしにくい状況にあるのだ。平時に借金をし過ぎたために、肝心なときに、金を借りられない、というわけだ。

BIへ

しかし、夥しい数の自殺者を出すような経済の破局を避けるためには、後先のことを考えずに、政府は、失職者や休業者が必要とする金額を保障し、支給していくほかない。日本政府だけではない。どこの国の政府もそうせざるをえない。リーマンショックのときには、多くの批判があっても、政府は、大企業や銀行を公的資金によって救済するしかなかった。今度は、政府は、公的資金で、零細企業や貧しい労働者・失業者をも救済しないわけにはいかない。このやり方が長期化するとどうなるか。ほとんど恒常化したときにはどうなるのか。それは、一般に「ベーシックインカム（基礎所得保障、ＢＩ）」と呼ばれている政策に近づいていくだろう。

だが、そんなことは可能なのか。財源はどうするのか。今しがた述べたように、政府は国債を発行することを通じて、必要な資金を用意するしかない。では、国債というものは無限に発行できるものなのか。もちろん、そんなことはない……、と一般には考えられている。均衡財政（政府の支出が税収を超えない）でやっていけている国はほとんどない。どこの国の政府も借金をかかえている。だからほとんどの経済学者は、政府の財政が赤字であっても、経済が破綻することはない、と考えている。しかし、同時に、いくら借金があっても問題がない、と考えている経済学者はほとんどいない。借金には限度額のようなもの、閾値のようなものがあると考えられているのだ。ただ、その閾値がどのくらいなのか、たとえばGDPに対してどのくらいの割合なのか知っている者は誰もいない。政府財政の赤字の許容限度を導き出す理論があるわけでもない。

ともかく、一般には、財政赤字の蓄積があるレベルを超えると、何かよからぬことが起きると考えられている。よからぬこととは何か。少なくとも国民としては、増税を覚悟しなくてはならない。だが、BIに近いかたちで生活費が支給されたとしても、後で増税によって吸い上げられてしまうならば、結局、援助されなかったのと同じではないか。さらに、増税よりももっと恐ろしいことは、インフレである。政府が借金を増やしつつ、財政支出を増大させていったときに起こりうる最も恐ろしいことは、ハイパーインフレーションだ。インフレとは貨幣の価値が下がることだ。円がハイパーインフレになれば、私たちの円建ての資産は急に小さくなることを意味する。それは、パンデミックに勝るとも劣らない破局である。

3 MMTは何を見ていないのか

ありがたい経済理論

ところが、ここに、とてもありがたい経済理論が天啓のようにあたえられる。「現代貨幣理論ＭＭＴ」という名前の――名前の普通ぽさにはそぐわない――異端の学説である。ＭＭＴはこう説く。政府の財政には予算制約がない、と。つまり政府はいくら借金をしても大丈夫、というわけだ。主流派からはＭＭＴは「トンデモ話」のように批判されているが、主流派だって政府の予算制約に関して説得的な理論をもっているわけではない。ならば、この際ＭＭＴを信じて、国債をどんどん発行して、最終的には高レベルのＢＩを確立したらどうだろうか。そうすれば、私たちは安心して、仕事を休んだり、自己隔離することもできるのではないか。ソフィーの選択が、突然、ごく簡単な合理的な選択に転換する。

とはいえ、異端のＭＭＴを信じることは難しい。だから、政府は気軽には、国債を発行できない。日本政府としては、一〇万円の給付だけでも、清水の舞台から飛び降りるような気分だろう。だが、これもいささかこっけいなことでもある。ＭＭＴの主唱者たちが、自分たちの理論の正しさを示している実例としてしばしば挙げるのが、日本である。日本政府にあれほど大きな借金があるのに、日本経済は破綻していないではないか、と。ところが、当の日本政府の方は、ＭＭＴを信じてはおらず、財政支出に尻込みしている、というわけだ。

いずれにせよ、ＭＭＴは、私たちが信じたいことを信じさせてくれる、とても都合のよい理論だ。これに賭けてみたらどうか。

しかし、残念ながら、私の考えでは、この理論には、ひとつ――ひとつだけ――欠点がある。前提そのものに誤りがあるのだ。もう少し慎重に言い換えれば、公理のようになっている前提に関して、考えがあまりにも浅い。人間の心理についての理解が、著しく浅薄だと言わざるをえない。

負債としての貨幣

ＭＭＴには、正しい洞察もある。それは、貨幣の本性は「負債」だという認識である。貨幣とは、流通する「債務証書」である。誰かの債務を記した書類が支払いに使えれば、それは貨幣である。貨幣に含意されている債務は、誰が負っているのか。それは、通貨を発行している者、つまりは政府――厳密にいえば統合政府（政府＋中央銀行）である。国債が、政府の債務証書であることは明らかだが、それ以前に、貨幣が政府の債務証書である。これはまったく正しい。

では、私たちは、その債務証書としての貨幣を政府に突き付けて、借金を返せ、と言えば、政府は何か返してくれるだろうか。何も返してはくれない。そもそも、政府は何を返せばよいのか。貨幣で返すしかないが、それこそ当の債務証書ではないか。というわけで、貨幣は、政府にとって、返す必要のない負債だということになる。政府がいくら借金をしても大丈夫である、とする理論の究極の根拠はここにある。

こうしたからくりが成り立つためには、しかし、債務証書である貨幣が流通しなくてはならない。たとえば、私が債務証書を発行しても、それを、私のことをまったく知らない人の間にも流通させることはできないだろう。私の長年の友人は、私を信頼して、私の債務証書を受け取るかもしれない。しかし、その友人が、彼または彼女の友人に――私のことを知らない第三者に――、私が出した債務証書を支払い手段として使うことができるだろうか。友人は、友人の友人から何か貴重なモノをもらったとき、「この債務証書を大澤というヤツのところに持っていけば、あなたが私に与えてくれた貴重品に匹敵する価値あるものをあなたに返してくれるはずだから、この債務証書で支払わせてくれ」と言ったら、友人の友人は、喜んで、一面識もない大澤の債務証書を受け取るだろうか。受け取るまい。その友人の友人は、私のことをまったく信用していないからだ。かくして、私が発行した借用証書は貨幣にはならない。

ところが、政府が発行した債務証書は流通する。どうして流通するのか。流通の動因になっているのは租税である。人々は、政府に税を納めなくてはならない、と思っている。このことが政府が発行した債務証書（貨幣）が流通する最終的な原因になっている。MMTによれば、租税の機能は、貨幣を流通させることにある。普通は、租税は、政府が国民のために何か役立つことをするのに必要な費用として徴収されている、と考える。しかし、MMTにとっての租税は、そうではない。租税の目的は、純粋に自己準拠的なものだ。つまり、租税の目的は、租税になること、租税として政府に回収されることのみにある。

税という謎

だが、これは実にふしぎなことではないか。MMTがまったく問うていない謎がここにある。われわれはどうして税を納めなくてはならない、と思うのだろうか。

MMIとはどんなものなのかを、とりわけ租税こそが貨幣を作り出しているということを説明する寓話がある。MMTの創始者とされているウォーレン・モズラーの実体験からくるものらしい。「モズラーの名刺の逸話」として知られている。[※9] モズラーは、子供たちが家の手伝いをまったくしないことを不満に思い、「家の手伝いをしたらパパの名刺をあげよう」と子供たちに提案したのだそうだ。すると子供たちは喜んで、皿洗いや庭の芝刈りをするようになった……かというと、もちろんそんなことはない。子供たちは、「パパの名刺なんて欲しくない」からである。そこで、モズラーは、月末に三〇枚の名刺を彼に納めることを、子供たちに義務づけた。名刺を納めなければ、邸宅から追い出すぞ、と脅したのだ。すると子供たちは、名刺を得るために、必死になって手伝いをするようになった。

この名刺こそが、貨幣である。貨幣として流通させるためには、それを毎月、モズラーに納めることを義務化しなくてはならなかった。むろん、これが租税である。だが、どうして、子供たちは、モズラーに名刺を納めるのか。その理由は簡単である。暴力的に脅迫されてい

※9　井上智洋『MMT　現代貨幣理論とは何か』講談社選書メチエ、2019年、36-37頁。

るからだ。納めなければ、住む家を失ってしまう。

「モズラーの名刺の逸話」でも、子供たちは、何の理由もなしに、名刺を納めるわけではない。父モズラーによる脅しがなければ、子供たちは「納税」しなかっただろう。では、現実の租税の場合はどうなのか。モズラーの脅しに対応する要因は何なのか。「そんなことは簡単だ。要因となっていることはモズラー氏の場合とまったく同じだ。国家から脅されているのさ。納税しないと収監するぞ、と」。こんなふうに説明したくなるだろう。確かに、納税者の主観的な意識においてはそうかもしれないが、客観的にはこれはまったく因果関係を逆転させた説明である。非納税者に対する懲罰が実際に機能し、執行されるのは、人々が国家に納税することを義務として承認し、非納税者への制裁を合法的なものとして受け入れているからである。われわれが納税を義務だとして受け入れている理由は、国家による物理的暴力によっては説明できない。逆に、納税しないことへの暴力を正当化しているのは、まさにわれわれが納税を正当な義務だと受け入れているという事実にあるのだから。そうだとすると、問題はそのまま残される。

国民はどうして政府に税を納めなくてはならない、と思うのだろうか。納税の義務があると考えているということは、国民が、政府に対して借りがある、政府に返さなくてはならない、と感じている、ということを意味している。これは奇妙なことだ。どうして、人は、政府に対する負債をもつと思うのか。[※10] 納税は、それゆえ、とてつもなく変な現象だ。貨幣は、われわれではなく政府の方がわれわれに対して債務がある、ということを意味している。しかし、なぜか、われわれは政府に借りがあると感じ、政府の方の債務を意味する書類（貨幣）によってその借りを清算しているのである。どうして、われわれは政府に借りがあると思うのか。そのような負債感は、どのような条件の下で成り立つのか。それは、「貨幣」なるものを可能にする条件として、説明されなくてはならないことだが、ＭＭＴは、これを自明視して、まったく考えてはいない。

負債のアンチノミー

いずれにせよ、ＭＭＴによると、貨幣は、政府にとっては返済の義務がない債務証書である。だから、政府は、必要なときにいくらでも貨幣を発行すればよいのだ、とＭＭＴは説く。しかし、貨幣が支払い手段として使われるとき、つまり人が貨幣による支払いを受け入れるとき、そこで働いている心理的なメカニズムは、実に精妙なもので、それはＭＭＴの視野には入っていない。

※10　普通の答えは、政府がわれわれを保護する等、何かよいことをしてくれるからだ、というものだが、この答えはＭＭＴでは使えない。先に述べたように、ＭＭＴの理論の中では、租税の機能は、政府が公共事業を行うことにあるのではなく、まさに租税として納めさせることにあるのだから。モズラーの名刺の例でも、モズラーは、名刺を使って何かよいことを子供たちにやってあげているわけではない。

一方で、人は、現代の貨幣は兌換紙幣ではないし、これを政府に持っていっても、何も返済してもらえないことを知っている。しかし、他方で、支払い手段として貨幣を受け取るとき、われわれは、あたかも貨幣に価値があるかのように、すなわち自分がいま受け取った貨幣は自分に続く他者たちも受け取るに違いないと想定して、その貨幣を扱っていることになる。ということは、貨幣のうちに含意されている債務がいずれ返済されるかのように、われわれはふるまっているのだ。ここには、アンチノミーがある。債務は返済されないことを知っているのに、それがいつの日か返済されるかのように扱っているのだから。これこそ、貨幣なるものの秘密である。

このメカニズムは、裸の王様の寓話に喩えることができる。誰もが王様が裸であることを知っている。しかし、それでも、人々が王様が豪華な服を着ているという想定で行動していれば、そちらが現実となるのだ。ＭＭＴは、「王様は裸だ」と叫ぶ子どもの役を演じている。皆が知っていること――しかしあえて黙っていること――を頼まれもしないのに教える役である。

理論的に説明されなくてはならないことは、ほんとうはその先にある。どうして、皆が知っていることとは正反対のことが社会的現実になるのか。貨幣は無意味な記号なのに、まるで兌換紙幣のように価値あるものとして流通するのはどうしてなのか。それは、われわれの「政府」への（無根拠な）信頼に結びついた現象で、先ほど述べた国民の「納税への義務感

〔政府への負債感〕」とも表裏の関係にあるのだが、これ以上の説明はやめておこう。

ひとつだけ大事なことを付け加えておく。いま政府の債務に関して述べたアンチノミーは、資本主義というものを一般的に特徴づける条件である。資本主義のもとで多額の資金をもつ者は、同時に、大きな債務をもつ者でもある。その負債は、返済されるという保証があるからこそ、貨幣として流通させることもできる。が、同時に、人は、すべての負債が完全に清算されることは絶対にないことも知っている。すべてが清算されるときは、資本主義が終わるときだからである。決して返済されないのに、あたかも確実に返済されるかのように扱われる負債。これが資本主義を成り立たせているのだが、この逆説が、通貨の発行主体である政府との関係においてはあからさまになる。他の経済主体は、それでも、その度に返済しているが、政府は、ほんとうに返済しないからだ。この事実に中途半端に敏感だったのが、MMTである。

4　ユートピアへの第一歩

失敗するからこそ活用する

まとめると、もしMMTが正しければ、そのように信じることができれば、私たちは、ソフィーの選択の苦境を回避することができる。国債をどんどん発行して、事実上のBIを確立すればよい。しかしMMTが自明の前提としていることは、必ずしも常に成り立つことではない。ＭＭＴの主張が成り立つのは、はっきり言えば、資本主義の順調な作動を前提にできるときである。

だが、新型コロナウイルスへの対策がもたらしていること、大規模な外出制限がもたらしていることは、資本主義的な経済活動の麻痺だ。たとえば、非常に多くの人は給料を得られず、賃料を支払うことができなくなる。そのため家主は、銀行への返済ができなくなる。……私たちは、「負債が全面的に清算され、消えてしまうことはないのに、実際には、常にそのたびにとりあえずは負債が返されることで、あたかも『負債は必ず返済される』かのようにふるまう」というゲームをやっていたわけだが、今やそのゲームは不可能になったのだ。王様が立派な服を着ていると見なそう、という「お約束」があったのに、王様がほんとうは裸であるという事実をどうしても否認できなくなった、というわけだ。したがって、ＭＭＴを信じて援助を続けても、いずれは挫折するだろう。

だから、休業せざるをえなかったり、失業したりした人たちへの補償や援助はやめた方がよい、と言いたいわけではない。まったく逆である。この方法はいずれ失敗し、資本主義というシステムの根幹を否定してしまうからこそ、実行すべきである。もともと、私たちの現況が、ソフィーの選択を連想させるようなジレンマになるのは、資本主義を前提にしているからだ。私たちが経済的に必要としていることの大半は、資本主義のルールからくるものだからだ。「あれか、これか」と迫られながら、どちらを取っても犠牲が大きすぎるとき、それを突破する唯一の方法は、選択肢そのものを変更してしまうことだ。ほんとうは不可能な「あれも、これも」にあえて執着すると、事前にはなかった選択肢が自然と生み出されるだろう。

健康も経済も——ただし別の経済へ

それはどんなものか。もともとＢＩは無償の贈与であって、私的所有の原理に反している。私的所有こそ、資本主義にとってもっとも重要な前提である。しかし、今述べたように、ＭＭＴを脱構築的に活用するとき、資本主義という枠組みそのものの放棄につながっていく。その結果、ＢＩの実践に含意されていたことが、資本主義というフィルターを経ずに、そのままむき出しになって現れることだろう。それは、私的所有の原理の徹底した相対化である。

そうすると最終的には何が生まれるのか。ＭＭＴの理論は、われわれが国家に対してもっている不可解な負債感を、貨幣の流通の前提として、暗黙のうちに——自覚なしに——前提にしていた。しかし、ＭＭＴをあえて自己破綻するほどに活用するということは、国家に対するこうした負債感も消えるということである。言い換えれば、国家なるものへの依存や信頼も消滅に向かう。国家という媒介を消し去ったときに、何が現れるのか。国家という媒介なしに、ＢＩ的な実践だけが残ったとしたら、そこに現れるものは何か。それこそ、人類が長いあいだ夢見たユートピアではないか。人はそれぞれ能力に応じて貢献し、必要に応じて取る。国家の代わりに出現するのは、要するに、このスローガンに実質を与える究極のコモンズ（共有物）である。われわれの労働の産物はすべて、原理的には、直接にコモンズに所属する。

現在の困難に勇気をもって対決し、あえて不可能であるはずのものを選択すれば、こうしたユートピアへの長い道のりの最初の確実な一歩を踏み出すことができる。健康か、経済かと迫られれば、われわれは断じて両方をとろう。健康も、経済も。そうすれば、われわれは両方を得るだろう。ただし、その選択を通じて、経済は別の経済へと変わる。それは、キューブラー・ロスの第五段階において、死なるものを受け入れたとたん、死の意味が――ネガティヴなものからポジティヴなものへと――変容するのと同じである。

（2020・7・7）

［執筆者紹介］50音順

宇野重規（うの・しげき）
1967年生まれ。現在、東京大学社会科学研究所教授。博士（法学）。政治思想史・政治哲学を専攻。著書に『デモクラシーを生きる』（創文社）、『政治哲学へ』（東京大学出版会、渋沢・クローデル賞LVJ特別賞）、『トクヴィル』（講談社学術文庫、サントリー学芸賞〔思想・歴史部門〕）、『〈私〉時代のデモクラシー』（岩波新書）、『民主主義のつくり方』（筑摩選書）、『西洋政治思想史』（有斐閣）、『保守主義とは何か』（中公新書）、『政治哲学的考察』（岩波書店）、『未来をはじめる』（東京大学出版会）、『民主主義とは何か』（講談社現代新書、近刊）等。

大澤真幸（おおさわ・まさち）
1958年生まれ。社会学者。個人思想誌『THINKING「O」』（左右社）主宰。比較社会学・社会システム論を専攻。著書『ナショナリズムの由来』（講談社、毎日出版文化賞）、『夢よりも深い覚醒へ』『不可能性の時代』（以上、岩波新書）、『増補 自由という牢獄』（岩波現代文庫、河合隼雄学芸賞）、『虚構の時代の果て』（ちくま学芸文庫）、『〈世界史〉の哲学』〔「古代篇」「中世篇」「東洋篇」「イスラーム篇」「近世篇」〕（いずれも講談社）、『ふしぎなキリスト教』（共著、講談社現代新書）、『社会学史』（講談社現代新書）、『〈自由〉の条件』（講談社文芸文庫）等。

小野昌弘（おの・まさひろ）
1975年生まれ。1999年に京都大学医学部卒業、皮膚科研修後、2006年に同大学大学院医学研究科にて博士号取得。07年より同大学で助教。09年、ユニバーシティ・カレッジ・ロンドンに移籍、13年に独立し研究室主宰。15年～現在、インペリアル・カレッジ・ロンドン准教授・主任研究者として免疫学の研究・教育に携わる。

神里達博（かみさと・たつひろ）

1967年生まれ。東京大学工学部卒。同大大学院総合文化研究科博士課程単位取得満期退学。博士（工学）。三菱化学生命研、東京大学、大阪大学などを経て、現在、千葉大学大学院国際学術研究院教授。科学史、科学技術社会論を専攻。著書に『食品リスク――BSEとモダニティ』（弘文堂）、『文明探偵の冒険――今は時代の節目なのか』（講談社現代新書）、『リスクの正体――不安の時代を生き抜くために』（岩波新書）等。

小泉義之（こいずみ・よしゆき）

1954年生まれ。現在、立命館大学教授。哲学・倫理学を専攻。著書に『兵士デカルト』（勁草書房）、『生殖の哲学』『弔いの哲学』『ドゥルーズと狂気』（以上、河出書房新社）、『「負け組」の哲学』（人文書院）、『デカルト哲学』『ドゥルーズの哲学』（以上、講談社学術文庫）、『病いの哲学』（ちくま新書）、『生と病の哲学』『あたらしい狂気の歴史』『あたかも壊れた世界』（以上、青土社）、『ドゥルーズの霊性』（河出書房新社）等。

斎藤 環（さいとう・たまき）

1961年生まれ。精神科医。医学博士。爽風会佐々木病院等を経て、現在、筑波大学医学医療系社会精神保健学教授。専門は思春期・青年期の精神病理学、「ひきこもり」の治療・支援ならびに啓蒙活動。著書に『文脈病』（青土社）、『改訂版　社会的ひきこもり』（PHP新書）、『思春期ポストモダン』（幻冬舎新書）、『戦闘美少女の精神分析』（ちくま文庫）、『世界が土曜の夜の夢なら』（角川書店、角川財団学芸賞）、『オープンダイアローグとは何か』（著＋訳、医学書院）、『オープンダイアローグがひらく精神医療』（日本評論社）等。

鈴木晃仁（すずき・あきひと）

１９６３年生まれ。東京大学、ロンドン大学で医学史を学ぶ。精神医療史、疾病史、公衆衛生史などが専攻。現在、慶應義塾大学経済学部教授。著書に *Madness at Home*（２００６年）、*Reforming Public Health in Occupied Japan, 1945-52*（共著、２０１１年）がある。２００７年に義塾賞を、14年に Eric Carlson Award を、それぞれ受賞している。

柴田　悠（しばた・はるか）

１９７８年生まれ。同志社大学政策学部准教授、立命館大学産業社会学部准教授を経て、現在、京都大学大学院人間・環境学研究科准教授。博士（人間・環境学）。専門は社会学、近代化論、社会保障論。著書に『子育て支援が日本を救う』（勁草書房、社会政策学会賞受賞）、『子育て支援と経済成長』（朝日新書）等。

中島隆博（なかじま・たかひろ）

１９６４年生まれ。現在、東京大学東洋文化研究所教授。東アジア藝文書院院長。哲学者。専門は中国哲学、世界哲学。著書に『残響の中国哲学』『共生のプラクシス』（以上、東京大学出版会）、『悪の哲学』（筑摩選書）、『思想としての言語』（岩波現代全書）、『全体主義の克服』（マルクス・ガブリエルとの共著、集英社新書）等が、共編著に『世界哲学史』シリーズ（ちくま新書）がある。

中島岳志（なかじま・たけし）

1975年生まれ。北海道大学大学院准教授を経て、現在、東京工業大学リベラルアーツ研究教育院教授。南アジア地域研究、近代日本政治思想を専攻。著書に『中村屋のボース』（白水社、大佛次郎論壇賞、アジア・太平洋賞大賞）、『ナショナリズムと宗教』（文春学藝ライブラリー）、『秋葉原事件』（朝日文庫）、『「リベラル保守」宣言』（新潮文庫）、『血盟団事件』（文春文庫）、『アジア主義』（潮文庫）、『超国家主義』（筑摩書房）、『親鸞と日本主義』（新潮選書）、『保守と大東亜戦争』（集英社新書）、『自民党』（スタンド・ブックス）等。

松尾 匡（まつお・ただす）

1964年生まれ。現在、立命館大学経済学部教授。博士（経済学）。専門は理論経済学。著書に『近代の復権』（晃洋書房）、『「はだかの王様」の経済学』（東洋経済新報社）、『商人道ノスヽメ』（藤原書店、河上肇賞奨励賞）、『不況は人災です！』（筑摩書房）、『新しい左翼入門』（講談社現代新書）、『ケインズの逆襲、ハイエクの慧眼』（PHP新書）、『この経済政策が民主主義を救う』（大月書店）、『「反緊縮！」宣言』（編著、亜紀書房）、『左派・リベラル派が勝つための経済政策作戦会議』（青灯社）等。

宮台真司（みやだい・しんじ）

1959年生まれ。現在、東京都立大学人文社会学部教授。社会学者。著書に『権力の予期理論』（勁草書房）、『制服少女たちの選択』（講談社）、『増補 サブカルチャー神話解体』（共著、ちくま文庫）、『終わりなき日常を生きろ』（ちくま文庫）、『日本の難点』（幻冬舎新書）、『私たちはどこから来て、どこへ行くのか』（幻冬舎文庫）、『正義から享楽へ』（blueprint）、『子育て指南書 ウンコのおじさん』（共著、ジャパンマシニスト社）、『どうすれば愛しあえるの 幸せな性愛のヒント』（共著、KKベストセラーズ）、『音楽が聴けなくなる日』（共著、集英社新書）等。

コロナ後《ご》の世界《せかい》

いま、この地点《ちてん》から考《かんが》える

2020年9月1日　初版第1刷発行

編　者　筑摩書房編集部

発行者　喜入冬子

発行所　株式会社筑摩書房
〒111-8755 東京都台東区蔵前2-5-3
電話番号　03-5687-2601（代表）

印刷・製本　三松堂印刷株式会社

デザイン　水戸部 功＋北村陽香

ISBN978-4-480- 86474-1　C0036